新潮文庫

憑　神

浅田次郎著

新潮社版

8174

憑神

一

後世にいわゆる幕末と呼ばれることになる、模糊《もこ》たる時代の物語である。

別所彦四郎《べっしょひこしろう》が余りの蒸し暑さに辟易《へきえき》して蚊帳《かや》を這《は》い出たのは、宵っぱりの御徒士《おかち》屋敷もしんと静まり返った夜更《よふ》けであった。

忍び出たつもりが、このごろ年老いたせいか目敏《めざと》くなった母を起こしてしまった。

「厠《かわや》へ」と言えば、母は仰向《あおむ》いたまま枕《まくら》の下を探って、彦四郎の膝元《ひざもと》にくたびれた巾着《きんちゃく》を置いた。

「蕎麦《そば》でも食うて、寝酒の一杯も飲んできやれ」

母というものは、どうして子供の気持ちを察することができるのであろう。涼みがてらに蕎麦でも食うて、寝酒の一合も飲みたいものだと思っていたのだが、彦四郎の懐《ふところ》には小銭すらなかった。

つい先ごろまでは、寝付けなければ母屋《おもや》の台所に行って、酒漬け飯をかきこんでいた。それも気丈な兄嫁に「まるで盗《ぬす》ッ人《と》じゃ」と叱《しか》りつけられて以来、ままならぬようになった。

　それはまあよい。婿入《むこい》り先から出戻った義弟に勝手な真似《まね》をされたのでは、兄嫁も立場がなかろう。しかし、老いた母を彦四郎の住まう離れに追い出したのには了簡《りょうけん》できぬ。

「わしとひとつ蚊帳の中では、母上もよう眠られますまい」

巾着を額に押し戴《いただ》いてから、彦四郎はしみじみと言った。

「なになに、おまえは亡《の》うなった父上とうりふたつゆえ、夢見ごこちがよい。母屋で嫁御に気を遣《つこ》うておるより、よほど楽じゃ」

　老いてもなお愛らしい人である。むしろ仕切り屋の兄嫁よりも、年若い娘のようなところがある。このぼんやりとした気性では、さぞかし竈持《かまども》ちも悪かろうし、嫁にいびり出されたのも無理はない、という気もする。

「では、お言葉に甘えまして」

　彦四郎は三尺帯を巻いて刀を差し、羽織を着て離れ家を出た。蚊帳の中で母がくすりと笑ったのは、そうした彦四郎の妙な居ずまいのよさに、また亡《な》き夫のおもかげを見《み》出《いだ》したからなのであろう。

このごろ自分でもそう思うことがしばしばある。算《かぞ》えの三十二といえば、ほどなく父の享年《きようねん》であった。

深川元町の御徒士組は、総二十組のうちの十五番組である。北向きの二つの惣門《そうもん》から、三間幅の道が枡形《ますがた》に組まれており、その左右に一軒あたり百三十坪の屋敷が並んでいた。一組の定数は三十人で、むろんその数は昔から増えも減りもしない。

この深川元町の十五番組屋敷は、下谷《したや》御徒士町の界隈《かいわい》に犇《ひし》めく同輩の敷地よりもよほど広い。何でも有徳院様《うとくいんさま》の御代《みよ》に埋め立てられた本所深川の新地に、十五番組だけが移ってきたという。だから広さは広いのだけれど、掘割《ほりわり》に囲まれた低地というわけで、夏の蒸し暑さは一入《ひとしお》であった。

御徒士の禄《ろく》は七十俵五人扶持《ぶち》と定まっている。したがって敷地は広くとも屋敷は身分相当で、せいぜい二間か三間の座敷に、かろうじて武家屋敷らしい式台の付いた玄関が備えられている程度である。どの家も余分の土地には畑を養い、あるいは離れを建てて店子《たなご》を入れていた。

別所家の離れには、彦四郎が物心ついたころから大工の棟梁《とうりよう》が住んでいたのだが、悪い博奕《ばくち》に嵌《は》まって夜逃げをされてからは、世の不景気もあって後の周旋が利《き》かなかった。古びて納屋《なや》になっていたその離れに、婿入先から出戻った彦四郎が住んで一年が経《た》つ。そこに母屋をいびり出された母がやってきて、いかにも人生に追いつめられた気のする暑い夏となった。

南天に眉月《まゆづき》のかかった暗い晩である。目が夜闇に慣れるまで草履《ぞうり》のあしうらを擦って歩むうちに、涼むどころかすっかり気が滅入ってしまった。

夜ごと輾転《てんてん》として寝つけぬのは、蒸し暑さのせいでもなければ、盛り切りの一膳飯《ぜんめし》しか食えぬ空腹のせいでもなかった。蚊帳の中でかたわらの母が寝入ってしまうと、わが身の不運ばかりが鬱々《うつうつ》とのしかかって、悔やしまぎれに目が冴《さ》えてしまうのである。

俺は何ひとつ悪いことなどしていない、と彦四郎は夜道をそぞろ歩みながら考えた。

武家の次男坊は、いずれ養子に出されるのが宿命である。だからよりよい家から請《こ》われるようにと、武芸には怠りなかった。学問もさることながら、直心影《じきしんかげ》流男谷《おだに》道場の免許皆伝まで授かったのだから、婿入り先に不自由はなかった。二十四で婿養子に納まったのは、小十人組《こじゅうにんぐみ》組頭三百俵高の井上軍兵衛が家である。つまり彦四郎は、努力の甲斐《かい》あって実家とは比べようもない大身《たいしん》の入婿となった。

俺に落度はなかった、と彦四郎は今いちど思い直した。

軍兵衛には彦四郎と同い年の嫡男《ちゃくなん》があったのだが、家督を譲ったとたんに流行《はや》り病で急死し、とり急ぎ十六の女子に彦四郎を添わせたのである。

組頭の御役も粗相《そそう》なく引き継いだ。妻の八重は性格もつつましく器量もよく、心より愛することができた。じきに健やかな男子も生まれた。

ところが男子を授かったとたん、俄然《がぜん》あたりの空気が怪しくなった。祖父母ばかりではなく、夫の死後も里に戻らず居座っている小姑《こじゅうと》までが、妻の手から奪うようにして赤児を抱くようになった。祖父のつけた市太郎という名は、死んだ当主の幼名であった。

じきに祖父母と小姑の、あからさまな婿いびりが始まった。

今も神仏に誓って思うのだが、彦四郎には何の落度もなかった。しかしことあるごとに、御徒士の素性を罵《ののし》られた。

中間小者《ちゅうげんこもの》の出というのであれば、馬鹿にされたところで返す言葉はない。しかし井上の家が御組頭であることはともかくとしても、小十人組の組衆は御徒士とさほどちがわぬ身分であった。ましてや御徒士は小禄ながら、由緒《ゆいしょ》正しき近侍《ちかざむらい》である。将軍家が御成《おなり》の折には必ず付き随《したが》い、一朝戦陣に立てば揃《そろ》いの猩々緋《しょうじょうひ》の陣羽織を着て、影武者ともなるのである。その誇り高き御徒士の出自を、まるで足軽のように言われるのはたまらなかった。

入婿を早々に排して、市太郎を跡目に立てようとしている軍兵衛の目論見《もくろみ》は見えすいていた。抗《あらが》えば離縁である。彦四郎は父母にかわって詫《わ》びる妻に支えられて、針の莚《むしろ》のような暮らしによく耐えた。

そうこうするうちに、事件が起こった。城中檜之間《ひのきのま》の小十人組番所で、上番中の配下がつまらぬ口争いをした。べつだん刀を抜いたわけでも、摑《つか》み合いになったわけでもないのだが、罵り声がたまたま近くにいた若年寄の耳に入り、お勤め不行届という譴責《けんせき》を頂戴《ちょうだい》した。

処分というほどではない。少々叱られただけである。しかしこの噂《うわさ》を耳にした軍兵衛は、烈火のごとくに怒って——いやたぶん怒りを装《よそお》ってであろうが、井上の家名を穢《けが》した不届者め、腹を切れと彦四郎に詰め寄った。

申し開きも詫びも聞こうとはせず、あろうことかその晩から、裏座敷に押しこめられた。翌《あく》る朝には深川元町から実家の兄が呼ばれた。

押しこめ座敷にやってきた兄が言うには、軍兵衛殿はことのほかお腹立ちで、次の勤番より自分が組頭に復するゆえ、彦四郎は離縁とする。むろん妻の八重も子の市太郎も井上の者ゆえ、向後《こうご》一切、夫婦親子の名乗りは罷《まか》りならぬ。切腹ばかりは勘弁するので、ただちに屋敷を出よ、ということであるそうな。

嵌められたのは兄もわかっていたが、こうなってはさしたる後楯《うしろだて》もなく、請われるままに身ひとつで婿入りした立場は情けなかった。ことを大袈裟《おおげさ》にしたのは明らかに軍兵衛の謀《はかりごと》だが、若年寄から譴責を受けたのは事実なのである。誰が仲に立とうがそうと言い張られてしまえば、理屈は親にあった。

愛する妻と、六つになる市太郎を井上の家に残して、彦四郎は離縁されたのだった。

育ちざかりの三人の子を抱えた貧乏所帯に、三十を過ぎた無役の弟が出戻ったのでは、兄嫁が剣呑《けんのん》になるのも当然であろう。むろん御公儀も何かと物入りの昨今、どう伝《つて》をたどったところで出役《しゅつやく》などあろうはずもない。ましてや出戻り婿の噂は広まっていた。

落度はないのだから、悔やむところもありはしない。彦四郎は悪い人間にめぐり遭《あ》った不運を、嘆くほかはなかった。

「二八蕎麦が二十五文では、勘定が合わぬな。三八の二十四文でもまだ足らぬわ」

蕎麦をたぐりながら、彦四郎は夜店の親爺《おやじ》に毒づいた。婿に出る前は、たしかに看板通りの十六文で売っていた蕎麦が、戻ってみれば二十五文である。このところの物の値段は実にいいかげんで、誰もが不景気に乗り合って悪い商いをしているように思えてならなかった。

「まったく、みんなして同しこと抜《ぬか》しァがる。いいかえ彦さん、二八蕎麦てえのは二八が十六じゃあねえんだ。蕎麦が八分にうどん粉が二分、うめえころあいの二八蕎麦てえこった。値上げは仕方あるめえ、文句なら公方様《くぼうさま》に言ってくんな」

親爺が両掛け天秤《てんびん》の屋台を高橋《たかばし》の袂《たもと》に出したのは、彦四郎がまだ手習いに通っていた時分である。この親爺は死んだ父親の顔も母の苦労も知っているのだと思えば、言いぐさに腹も立たなかった。

時刻は夜四ツも過ぎたというのに、どの屋台にも客がついていた。大方は暑さに寝つけぬ近在の侍たちである。客筋を見越してか、蕎麦屋も泥鰌《どじょう》売りも鮨《すし》屋も、せっせと売っているのは酒で、町家の建てこんだ場所ならばこうはいかない。

そうした夜店がさながら市のように並んでいるのは、掛川城主太田備中守《びっちゅうのかみ》の下屋敷前である。小名木《おなぎ》川にかかる高橋の袂から、海鼠塀《なまこべい》ぞいに店が出ているところを見ると、掛川藩の役人が上前をはねているのかもしれぬ。辻《つじ》を東に折れれば小笠原佐渡守の下屋敷、その対《むか》いが御徒士組で、さらに御三卿《きょう》の田安様、土屋采女正《うねめのしょう》の屋敷が続く。高橋を渡った対岸も、あらかたは大名屋敷である。屋敷長屋に住まう独り者の侍たちが、夜な夜な高橋の袂で酒を飲むのは昔からの習いになっていた。

「のう、彦さんやい」

提灯《ちょうちん》のあかりから莨《たばこ》の火を拾って、蕎麦屋の親爺は彦四郎に語りかけた。

「そこいらにいる江戸詰のお侍《さむれえ》に比べりゃ、あんたのほうがよっぽどましなんだぜ」

「これがましかね」

と、彦四郎は嗤《わら》った。

「おうよ。俺ァかれこれ二十年もここに店を張ってるが、藩邸のお侍なんてのはいくつになろうがてんで変わりばえのしねえもんさ。それにひきかえ、御徒士衆には出世の道がある」

「わしはその出世とやらをしそこなった。つい一年前までは小十人組御組頭、それが今では、この齢《とし》で七十俵の部屋住みだ」

「みなまで言いなさんな」

親爺は頼みもしない燗酒《かんざけ》を、彦四郎の手元に勧めた。

自分から愚痴をこぼした覚えはない。そんなふうに夜酒の噂話になっているのかと身の縮む思いがして、彦四郎はあたりを見回した。

「べつにあくせくと養子の口なんざ探さなくたって、ご重役のお目に留まりゃあたちまちご出世さ。御徒士の旨味《うまみ》てえのはそれだろう」

たしかに将軍の身辺警護や、城中の諸事雑用をあれこれと命ぜられる御徒士は、上役の目に留まる機会が多い。古くは下谷御徒町《したやおかちまち》の川路左衛門尉《かわじさえもんのじょう》が、勘定奉行にまで出世した例があり、近くは三味線堀の御徒士の倅《せがれ》である榎本釜次郎《かまじろう》が、幕府の肝煎《きもい》りで外国に留学したと聞く。

「そうは言うてものう――」

彦四郎は言いかけて口を噤《つぐ》んだ。自分が同年輩の榎本釜次郎に劣っているとは思わぬが、部屋住みの分限では上役のお目に留まりようもない。

親爺も失言に気付いたらしい。ああ、と呟《つぶや》いたなりごまかすように、燗酒を彦四郎の猪口《ちょこ》に注いだ。

「まあ、人生そう悪いことばかりでもあるめえ。俺ァ彦さんを餓鬼《がき》の時分から知ってるがの、兄様と順序が逆ならご出世はまちげえねえんだ。なあに、じいっと辛抱していれァ、そのうちいいこともあるさ。短気を起こしなさんな」

やさしい言葉をかけられたのは初めてのような気がした。自分に見舞った不運は、ねぎらうことも憚《はばか》られるほどなのだろうか、誰ひとりとして同情のいろすら見せなかった。

勘定を払おうとすると、親爺は母の巾着にふと目を留めて囁《ささや》いた。

「二八の十六も三八の二十四も、なしでよござんすよ。腹が減ったらいつでもおいでなさんし」

「情けは無用じゃ」

「つまらん意地はお張りなさんな。こちとら何も情けをかけてるわけじゃねえ、出世払いてえこって」

「相すまぬ」

頭は下げずに目で肯《うなず》いて、彦四郎は巾着を懐《ふところ》に納めた。

「ところで彦さん。にっちもさっちもいかねえてえんなら、旨《うめ》え話を聞かそうか」

「屋台を担《かつ》げとは言わせぬぞ」

「まさかよ。そうじゃあなくって、神仏の功徳《くどく》のこった」

ほう、と彦四郎は猪口を舐《な》めた。この際、神力に頼みたいのは本音である。

「聞かせてくれ」

「へい。ここだけの話だがね、出世祈願には何たってお稲荷《いなり》さんの霊験《れいげん》があらたかなんだそうで」

「べつにここだけの話ではあるまい。伊勢屋稲荷に犬の糞《くそ》とか申してな、江戸市中はどこで手を合わそうが目の前に稲荷がある。その霊験があらたかならば、誰も苦労はするまい」

「それがよ」と、親爺は提灯の下に身を乗り出した。

「ちっとも犬の糞じゃあねえお稲荷さんがござるのさ。いいかい、ここだけの話だぜ。何でも川路左衛門尉様は、向島《むこうじま》土手下の三囲《みめぐり》稲荷に願をかけて、めでたく出役出世をお果たしになったそうだ。で、それにあやかったのが三味線堀の榎本釜次郎。こいつもこっそり三囲稲荷に詣《もう》でての出世祈願、たちまち冥加《みょうが》こうむりましてのご出役と相なった。どうでえ、彦さん。ものはためしにお願いしてみねえかい」

すでに隠居の身の川路左衛門尉はともかく、榎本釜次郎はまんざら知らぬ仲ではない。手習いも道場もちがうが、子供の時分に御徒士の必須《ひっす》である水練を、隅田川でともに修めた覚えがあった。その榎本の活躍ぶりの秘密が三囲稲荷の冥加と聞けば、まさか信じはせぬが気はそそられる。

「まことか」

「そんなら、物はためしで」

ほんの一瞬、真顔で見つめ合ったあと、彦四郎は酒を噴き、親爺は煙《けむ》に咳《せ》いて笑った。勘定のやりとりの気まずさは、うまい冗談で立ち消えとなった。

「しからば、出世払いということで」

「へい。つけはたんとためておきてえ。毎晩いらしておくんなさんし」

江戸前の洒落《しゃれ》とは有難いものである。たいした押し引きもせずに、昔なじみの情けを受け、武士の面目も立つ。これこそ三囲稲荷の功徳にちがいなかった。

暑さでよほど体が参っているのだろうか、一合の燗酒が妙に効いた。

一家揃《そろ》って母屋《おもや》の台所で食う夕飯には、兄と彦四郎の膳に一合の酒がつく。だが近ごろ、彦四郎の酒が湯で割ってあることは気付いていた。もしかしたらその湯割り酒に、体がなじんでしまったのかもしれなかった。

さすがに大名屋敷の侍たちも引けどきである。帰る道すがら、追い越してゆく見知った顔に挨拶《あいさつ》をされても、にわかに誰とわからぬくらい酔いが回っていた。

御徒士《おかち》屋敷の惣門《そうもん》は形ばかり閉まっている。潜《くぐ》り戸を通って、奥まった一角のわが家をめざすうちに、たまらなく尿意を催した。まさかよその御徒士屋敷の壁に用を足すわけにもいかず、彦四郎は股倉《またぐら》を押さえて早足になった。

枡形《ますがた》の角には、小名木川の船着場に通ずる路地がある。家まで辛抱しきれずに、路地をすり抜けて土手に駆け上がり、黒々とした川面《かわも》に向かって小便をした。

ふと、何年か前に御城内で行き遭った、榎本釜次郎の顔が思いうかんだ。

向こうは長崎の海軍伝習所をおえて、じきにオランダ留学という一躍出世であったが、その当座はこちらも小十人組の御組頭であったのだから、肩を並ぶるとはいえぬまでも、さほど引け目を感じたわけではなかった。だが今となっては雲泥《うんでい》の立場である。留学をおえて帰国した榎本には、やがて軍艦の艦長か御奉行並の役職が用意されるのだろう。そうとなれば千石取りの御旗本である。それに引きかえ彦四郎は、すでに御濠《おほり》を渡る御役目すらなく、夜鳴き蕎麦《そば》屋の親爺から情けをかけられるほどにおちぶれてしまった。

「三味線堀の御徒士組、榎本釜次郎君。三囲稲荷の冥加こうむりましての出役出世、祝着《しゅうちゃく》至極に存じまする」

川面に向かって小便を振り撒《ま》きながら、彦四郎は独りごちた。

そうは言っても、まさか親爺の洒落を真に受けて、向島くんだりまで出向くつもりなどさらさらない。第一、留学に先立って迷うことなく髷《まげ》を落とした開明派の榎本が、お稲荷様に出世祈願などするはずはなかった。すべては親爺の洒落だと、彦四郎はおのれに言い聞かせた。

用を足しおえて帰りかけたとたん、不覚にも夜露を含んだ土手に足を滑らせて転げ落ちた。一合ばかりの酒でこうも酔うとは、われながら情けない。

腹が立っても誰に当たるあてはなく、いやというほど打ちつけた尻《しり》を撫《な》でていると、土手下の暗がりに妙なものを見つけた。ほんの一抱えばかりの、破《や》れ傾《かたむ》いた祠《ほこら》である。夏枯れた葦《あし》の茂みに埋もれるようにして、屋根には川端柳の葉を冠《かむ》っていた。

子供のころから遊んでいた土手下に、そんなものがあるとはついぞ知らなかった。誰かが捨て場所に困って、川舟からうっちゃったものか、いやそれにしては姿が据《す》わっている。

はてさてと考えるうちに、もともとそこにあったような気もしてきた。だとしても、拝んだためしがないのはたしかである。

「ええ、このようなところに鎮座なされておられたとは気付かず、粗略にいたして申しわけござらぬ。もしやわが身の不運は、ご無礼の祟《たた》りでござるかの」

などと、尻をさすりながらにじり寄って、彦四郎はぎょっとした。小さな祠には蒲《かま》鉾《ぼこ》板のような札がかかっており、そこにありありと、「三巡稲荷」の文字が読み取れた。

「もしや、みめぐり、でござるかの。向島の三囲様とは字がちがうようじゃが――御分社なら大助かりでござる。ではでは、なにとぞよろしう」

お道化《どけ》て手を合わせたとたん、時ならぬ鐘がゴオンと鳴った。

あたりに鳴り渡ったのではなく、祠の中からいかにも「祈願たしかに承ったぞよ」、という感じで鳴ったように思えた。

はっとしてから気を取り直し、彦四郎はおのれに言い聞かせるつもりで呟《つぶや》いた。

「霊巌寺の寝呆《ねぼ》け梵鐘《ぼんしょう》にも困ったものでござる。どうかお気になさらず」

すると今度は明らかに祠の中から、ドンドンと太鼓が鳴った。これにはたまらず尻《しり》餅《もち》をつき、一目散に逃げ出した。

落ちつけ。取り乱すな。気が鬱《うつ》になっているところに久しぶりの濃い酒が入って、悪酔いをしただけだ。

土手に続く路地から駆け出ると、彦四郎は立ち止まって下腹に気合いを入れた。もともと胆力には自信がある。神仏をあだやおろそかにはせぬが、それは礼儀という程度のもので、奇特《きとく》に恃《たの》むたちではなかった。

小名木川の対岸の霊巌寺の小僧が、小便に起きて寝呆け鐘をついたのであろう。このごろ江戸市中には怪しげな講があまた現れて、お太鼓を叩《たた》きながら練り歩いたりする。その一味が真夜中に川舟を雇って、妙な願掛けでもしているにちがいない。

彦四郎は真黒な夜空を見上げて、大きく息を吸った。泥をはたき落とし、羽織の袖《そで》をついて居ずまいを正す。

人の寝静まった夜更《よふ》けであったのは幸いである。もし誰かに醜態を見られたなら、どんな噂《うわさ》をたてられるかわかったものではなかった。

柿葺《こけらぶ》きの門をそっと押して屋敷に入り、井戸端でしこたま水を飲むと、彦四郎は離れ家に戻った。

蚊帳《かや》の中で横向いた母の背の小ささに、胸の潰《つぶ》れる思いがした。母が邪慳《じゃけん》にされるのも、出戻り婿《むこ》をかばうからにちがいなかった。

無言で頭を下げ、母のかたわらに添い寝するとじきに、気の遠のくような睡気がやってきた。

二

「どうしたわけか、きのうは睡《ねむ》うて睡うて身じろぎもままならなんだ。茶の一杯も淹《い》れてさし上げねばと思うそばから、まるで井の底に落つるような睡気がさして参ってのう。いやはや、無礼をいたしてしもうた」

彦四郎の月代《さかやき》を剃《そ》りながら、母は申しわけなさそうに言った。

隣屋敷との目隠しの夾竹桃《きょうちくとう》が、見るだに暑苦しい赤い花をいっぱいに咲かせている。母屋《おもや》で朝食をすませたあと、母はいかにも思いついたように彦四郎を離れの縁先に座らせて、剃刀《かみそり》を当て始めたのだった。

「今節流行の総髪にいたそうと思うているのですが」

と、彦四郎は角の立たぬよう拒んだのだが、母は許さなかった。

「べつだん総髪が悪いと申すわけではないがの、月代が生え揃《そろ》うまでは見苦しい百日鬘《ひゃくにちかずら》になるであろう。それでは洒落にもなりますまい」

手桶《ておけ》の水に、襷掛《たすきが》けの母の姿が映っていた。幸いきょうは涼やかな曇り空で、川風も渡っている。裏庭を宰領しているのも、けたたましい油蟬《あぶらぜみ》の声ではなく、耳に障《さわ》らぬ法師蟬の鳴声である。

「酔うて帰ったあげく、母上に茶を淹れさせるなど親不孝にもほどがございましょう。無礼じゃなどと言うて下されますな」

「おまえはそれでよいとしても、お客人には無礼であろうよ」

母の言うことがよくわからずに、彦四郎は少し考えた。

「お客人、と申されますると――」

「どなた様かは存ぜぬが、立派なお店《たな》の主人と見受けました。夜店で知り合われたか」

　母は夢と現《うつつ》をとりちがえているのであろう。だが、立派なお店の主人が自分と一緒に帰ってきたとは、夢にしても吉瑞《きちずい》である。

「蚊帳ごしの闇ではよう見えなんだが、でっぷりと肥えた、えべす大黒様のようなお顔でしたな」

　どう答えるべきかと彦四郎は迷った。労《いたわ》る人もない倅の身の上を、母は案じ続けているのであろう。その親心が見させた夢だと思えば、笑いとばすわけにもいかぬ。

　彦四郎は出まかせの嘘《うそ》をついた。

「ああ、あの者は伊勢屋と申す日本橋の両替商でしてな。おおかた妾宅《しょうたく》からの帰りがけというところでしょうが、妙によい酒を飲む男でして、夜店にいた客の勘定をみな持ってくれたのです」

　もし母が巾着《きんちゃく》の中味を確かめて、金が減っていないと知ればあれこれと気を回すであろう。一石二鳥のうまい嘘だと思う。

「おやまあ。侍が町人の奢《おご》りで飲み食いするなど、あまりほめた話ではございませぬのう」

「そう堅いことをおっしゃられますな。あの男にしても、丁稚《でっち》手代のひとりも連れずに高橋を渡って参ったのでは、この夜更けまでどこで何をしていたかは言わずとも知れたことでしょう。照れ臭くもあり、もし見知った顔でもあれば、これは見なかったことにしてくれというほどの心積りでしょうかね」

剃刀を使う母の手が止まった。夢を夢と思わせぬ気遣いの嘘だが、少々言葉が過ぎたかもしれぬ。

「して、その男がなにゆえここまでついて参ったのじゃ」

「それは、母上。酒を酌《く》み交わすうちに意気投合しましてな。わしも酔うた勢いで多少の自慢話などいたしましたら、男谷《おだに》道場の免許者ならば心強い、ぜひお店の用心棒にきてはくれまいかと」

ここまで口が滑ると、もはや母への気遣いなどではなく、日ごろの鬱憤《うつぷん》晴らしである。その気になれば御役などなくとも金は稼げるのだと、彦四郎は見栄《みえ》を張ったつもりであった。

「おやおや。まさかおまえ、そのような話をお引受けしたわけではございますまいな」

「まさか。たしかに昨今は攘夷《じょうい》の志士を騙《かた》る輩《やから》の押し借りが横行いたしておりますゆえ、どこの商家も用心棒を雇うておりますがの。いかに腕に覚えがあろうと、そのような話に乗ってしまったのでは、自ら出役《しゅつやく》の道を閉ざすようなものでございましょう。ご安心下さいまし」

　母はほっと息をついて、彦四郎の額を剃り始めた。

「なるほど。すると、おまえが断ったにもかかわらず、是非にというてついてきたのじゃな」

「まあ、さようなわけで」

「茶など淹れんでよかった。おそらくあのただならぬ睡気は、神仏のご加護であったのでしょう」

　出まかせの嘘にはうまい落ちがついた。これで夢と現とを取り違えるほどの母心も拒まずにすんだし、巾着の中の銭の按配《あんばい》も説明がつき、自分も多少の鬱憤は晴れた。嘘も方便じゃと、彦四郎は得心した。

　だがじきに、鶴嘴《つるはし》の歯ががつんと石を噛《か》んだような気がして、彦四郎はつむっていた目を瞠《みひら》いた。

　神仏のご加護――よもやとは思うが、この際聞き捨てならぬ母の一言である。

「ところで母上。話は変わりますが聞いて下さるか」

　母にとってはがらりと変わった話でも、彦四郎にしてみれば同じ話の続きである。

「小名木川《おなぎ》の土手下に、破《や》れ朽ちた祠がございましょう」

母はまた手を止めて、考えこむふうをした。

「ほれ、三巡と書いて、みめぐりと読むのでしょうか。だとすると向島の三囲稲荷の御分社かと思われますが」

何をそうまで考えているのだと怪しむほど、母は長いことおし黙ったあげくに、こわいことを言った。

「おまえ、よもやその祠に手など合わせはしなかったであろうな」

手は合わせた。ふざけ半分ではあったが、なにとぞよろしうと、声にも出した。しかし「よもや」と訊《き》かれればそうだとは答えられぬ。

「いや、こんなものがあったかなと、首をかしげただけでござりますが、何か――」

「ならばよい。その祠にはあまりよい言い伝えがないのでな。向島の三囲様とは縁もゆかりもない」

「よい言い伝えがないということは、悪い障りでもあるのですか」

彦四郎は咽《のど》の渇きを覚えた。手を合わせて冗談半ばの願をかけたとたんの、ゴオンと鳴った鐘の音と、たしかに聞いた太鼓の連打が耳に甦《よみがえ》った。

「よくは存ぜぬがの。あの祠はツキガミ様と申して、昔から触れてはならぬと伝えられておるのじゃ」

「ツキガミ様、ですか。日と月のツキでござるかの」

「まあそうであろう。詳しいことは母も存ぜぬ。ともかくその月神様には願かけどころか触れてもならぬと、近在では言われておった。それも母が子供の時分の話じゃ。触れてもならぬゆえ、草に埋もれてその在《あ》りかさえわからなくなったが、さてはこの暑さ続きで土手の草も夏枯れてしもうたか」

なるほど祠の建っていたあたりは、身の丈にまさる葦やら雑草やらが生い茂り、土手柳の葉の低く垂れた湿地である。冬は冬で、その葦やら草やらが枯れ重なって、そばに寄るのもおぞましいほどの荒れようとなる。どうやらこのところの暑さで葦が立ち枯れ、長いこと埋もれていた月神の祠が顔を出したらしい。

「障りとは縁遠い、風流な名でございますが」

「南向きの土手下ゆえ、その昔に月読命《つきよみのみこと》でも祀《まつ》ったのであろうかの」

「その風流な月神様に、いったいどんな障りがございますのか」

「それは知らぬ。ともかく拝むな触れるなと教えられた憶《おぼ》えがある。草が枯れて姿を顕《あら》わしたとなると物騒じゃが、あえて隠すのも障りがあるやもしれぬ。孫たちには言い聞かせておかねばなるまいな。つるかめつるかめ」

彦四郎は目をつむって、母の指先に頭《こうべ》を委《ゆだ》ねた。

考えすぎというものであろう。このごろめっきりと年老いた母は、ときどき呆《ほう》けたことを言う。夢と現とを取り違えるなど、何のふしぎもなかろう。すなわち、彦四郎が思いつきで伊勢屋と命名した男は、母が夢に見ただけの、この世にあらざる人間なのである。その呆けた母の夢に、昨夜たまたま見かけた稲荷の祠がつながって、あらぬ想像をしてしまった。

待てよ、と彦四郎は考えた。母は拝めば障りのある邪神のように言うていたが、その障りについては知らぬらしい。因果話というのは、昔々こんなことがあったという伝承がこと細かになされているものであるから、「よくは知らぬが拝んではならぬ」というのはどうもおかしい。

だとすると、実は向島の三囲稲荷と同様の、あるいは分社としてご同体の、霊験《れいげん》あらたかな出世稲荷という考えはどうであろう。本当はそのように有難いものなのだけれど、冥加《みょうが》によって出世を果たした者が後進の続くことを怖《おそ》れて、あらぬ伝説を被《かぶ》せたという推理はどうだ。そう思えば母の見た伊勢屋は、怖いどころか有難いではないか。

「ときに、母上は三味線堀の榎本釜次郎君をご存じですか」

また話頭を転じたふうを装《よそお》って、彦四郎は訊《たず》ねた。むろん話は変わったようで、全然変わっていないのである。

「おお、オランダに留学したという御徒士《おかち》のことであろう。噂にだけは聞いておるが、見知ってはおらぬ。同様の一躍出世というのなら、下谷の川路様はよう存じ上げておるがの」

「何と、川路左衛門尉《さえもんのじょう》様をご存じなのですか」

「組は違うても、かつては亡《な》き父上のご同輩であったからの。さて、お若い時分にはさしたる人物とも思えなんだが、いつの間にかとんとん拍子のご出世、ついには御勘定奉行にまで昇られた。御徒士には出役登用の道が開けているとは申せ、御開府以来まずあれほどのご出世はござるまい。とうの昔にご隠居なさってしまわれたが、さもなくばおまえのことも何とかしていただけようものを」

母は世を果無《はかな》むような溜息《ためいき》をついた。そうした間の悪さなどはどうでもよいのである。勘定奉行といえば、幕府財政を運営し、天領からの年貢《ねんぐ》徴収を掌《つかさど》り、御役高は三千石、御役料七百俵という大官である。母に言わせれば「若い時分にはさしたる人物とは思えなかった」川路左衛門尉が、そうまで出世をした秘密は、やはり三囲稲荷の冥加にちがいない。

これは大変なことになるやもしれぬ、と彦四郎は思った。

こうなると、よいことなどひとつもなかった彦四郎の思いは、日輪を仰ぎ見る向日葵《ひまわり》のごとくに咲いた。

恵比寿《えびす》大黒のようにふくよかな顔をし、大店の主人のなりを装った稲荷大明神は、出世祈願の一念に応《こた》えて、川路左衛門尉や榎本釜次郎の前に顕われたのであろう。その同じ神が、わが身にも憑《つ》いたのである。

あっ、と声を上げて、彦四郎は剃刀を持つ母をおののかせた。

「どうした、彦四郎。危ないではないか」

「いや、ちと思いついたことがござりまして」

何かと問われても、母に向かって答える気にはなれぬ。

「ツキガミ」は「月の神」ではなく、拝んだ者に憑依《ひょうい》して力となる「憑神《つきがみ》」の謂《いい》なのだ。

彦四郎は母の怪しむほどに声を上げて笑った。これで道は開ける。ほどなく出役の報《しら》せが舞いこみ、あの川路様のように、榎本釜次郎のように、自分は一躍出世を果たすにちがいない。

めでたく千石取りの御旗本となった暁には、家来の大勢いる屋敷に母を迎え入れ、能《あた》うかぎりの贅沢《ぜいたく》をしていただこう。むろん恨み骨髄の井上軍兵衛など、まっさきにひねりつぶしてくれる。で、妻の八重と息子の市太郎をわが手に取り戻す。冷淡な兄はこのままでよかろう。たっての願いというのであれば、甥《おい》の出役ぐらいは取計らってやってもよい。

そして、これは忘れてはならぬことだが、夜店の親爺《おやじ》には出世払いの蕎麦《そば》代を払う。もう両掛け天秤《てんびん》の屋台など背負わなくてもよいように、小体《こてい》な店の一軒も誂《あつら》えてやろう。

彦四郎は腹を抱えて笑った。それらはもはや想像ではなく、確たる未来であった。

三

別所彦四郎が件《くだん》の人物に面と向こうて会ったのは、その夜更《よふ》けである。

時刻は同じ四ツ下がりで、蒸し空には眉月《まゆづき》がかかっていた。昼間は凌《しの》ぎやすい曇天であったのに、日が昏《く》れたとたんに風が凪《な》ぎ、じっとしていても汗の滲《にじ》むほどの晩となった。

夜ごと母に気遣いをさせるわけにもいかぬから、寝息を聞くまで読書をした。むろん気もそぞろで、正しくは書物を読むふりであった。

そよとも動かぬ川端柳の下で、親爺は何ごともなく店を出していた。

「わしは何も、稲荷《いなり》の奇特《きとく》をはなから信じているわけではないぞ。むしろこの世には、神も仏もあるものかと思うている」

そう前振りをして、彦四郎は蕎麦の伸びるのもかまわずに、昨夜の出来事について克明に語った。

「のう、親爺。わしもきょう一日じっくりと考えてみたのだが、母は夢を見たのではなく、やはりわしに憑いた稲荷の化身を現《うつつ》に見たのだと思う。たしかに怪力乱神を語るは、君子ならずとも武士として恥ずべきだがの、そうと考えれば矛盾は何もないのだから仕様があるまい。のう、どう思う」

親爺は莨《たばこ》を喫《す》いながら、つまらなそうに長い話を聞いていた。

「まったく、鼻ッ柱の強さは餓鬼の時分から変わらねえ。信じるの信じねえのと、あれこれ御託《ごたく》を並べやがって。要は信じていなさるんだろう、彦さん。だったら他人がどう思おうと、てめえひとりで了簡《りようけん》すれァよかりそうなもんだ。めでてえ話じゃねえか」

めでてえめでてえと、素直に喜んでもらえると思ったのだが、親爺が機嫌を損ねたのは意外であった。

もともと自分が言い出しておきながら、何を剣呑《けんのん》になるのだと、彦四郎は不審に思った。

「何か気に障《さわ》ったかの」

「いんや」

親爺はあちこちの屋台に群れる侍たちに目を向けた。

「彦さんが子供に見えるのは、まあちっちぇ時分からのなじみなんだから仕方ねえ──と思っていたんだが、やっぱりどこか大人げねえや」

さすがに彦四郎も気色《けしき》ばんだ。

「何を言いたいのだ。物ははっきりと言え」

「いんや」

親爺は苛々《いらいら》と莨を吹かし、いくどか彦四郎と目を合わせてはそらしたあげくに、思いがけぬことを言った。

「どだい神仏のご利益《りやく》なんてのはご当人の思いこみだからよ、こんなことを言っちゃ身も蓋《ふた》もねえんだが」

「かまわぬ。思うところを申してくれ」

「なら言わしてもれえやしょう。その話は、ピンからキリまで母心だ。そうにちげえねえ。彦さんも三十を過ぎた男なら、そんな有難え親心は読み切ってだな、明日からは見栄も何もかなぐり捨てて、出役の方途をお探しなせえやし」

「わからぬ。ピンからキリまでの母心とはどうしたことだ」

親爺は煙管《きせる》の雁首《がんくび》を天秤の棹《さお》にがちんと打ちつけた。

「ああ、ああ、ここまで言ってまだわかんねえなら、わかるように言って聞かせにゃならねえか。いいかえ彦さん、倅《せがれ》の帰《けえ》りがあんまし遅いもんで、よもや川に嵌《は》まりでもしたんじゃあるめえかと、おふくろさんが小名木川の土手までお出になったと思いねえ。そこに見たのァ、神仏なんざ糞《くそ》くらえの倅が、破《や》れ祠《ほこら》に手を合わせ、冥加に頼る情けねえ姿さ。さてどうする。よもや気易《きやす》く声はかけられめえ。そこでおふくろさんは、足を忍ばせてお屋敷に戻っての泣き寝入り、あれこれと考えたあげくに、稲荷の奇特たちまち顕現いたしまして、倅に百人力の憑神様がお降りになったと——まあうめえ話をお考えになったもんだ。いけねえ。その母心とやらを、俺のおしゃべりで台なしにしちまったたな」

憑神が落ちてしまったように、彦四郎は呆然《ぼうぜん》と立ちすくんだ。いや、そうと思いこんでいた憑神様は、親爺の話でたしかに落ちてしまった。

彦四郎は伸び切った蕎麦をかきこみ、酒を呷《あお》った。

「のう、彦さん。どうだと訊かれて思わず口が滑っちまったが、悪く思いなさんなよ。母心はたしかに有難《ありがて》えが、俺ァ男だから、死んだおやじさんになりかわって、今少し大人になれと言ったつもりだ。そりゃあ、お侍の窮屈な立場はわからんでもねえがよ、にしたって、かれこれ一年もうじうじと部屋住みに甘んじていなさるのァ、どう考えたってだらしがねえ。あんたはおふくろさんに甘えていなさるんだ。いくらお侍だって、何とかせにゃならねえと思いつめなけりゃ、人生何ともなりゃしませんぜ」

彦四郎が思わず目頭を押さえたのは、親爺の説教に感じ入ったからではなかった。話を聞きながらまったく唐突に、引きさかれた妻と伜の顔が瞼《まぶた》にうかんだのだった。

市太郎は井上の家の跡襲《あとと》りであり、八重はその母であった。正しくはもはや、妻でも子でもなかった。

「言いわけを、聞いてくれるか」

肯《うなず》いた親爺の目はやさしかった。

「わしはの、出世をしたいとも、禄《ろく》が欲しいとも思うてはおらぬ。ただ、婿入《むこい》り先に残してきた妻と子を、わが手に取り戻したいだけだ。その叶《かな》わぬ願いが、あろうことか神だのみになってしもうた。考えれば誰でもわかる母心すら、わしは思いつかなんだ。まことに情けない話じゃ」

妻子を取り戻すことなど、できるはずはなかった。万々の万が一、自分が川路左衛門尉や榎本釜次郎のように見出《みいだ》されて、一躍出世でもしないかぎりは。そしてもし仮に、この先そうした万が一の果報に恵まれたにせよ、井上の家を見返す立場にまで昇るころには、妻は老い、倅は井上の立派な当主となっているはずであった。

彦四郎の絶望をわかってくれたのであろう、親爺も洟《はな》をすすった。

「俺も言いすぎちまったな。まあ、女房子供のこたァ考えたところで仕様もあんめえ。ともかく、おふくろさんを大事《でえじ》にしてやるこった」

それから親爺は、「出世払いでえ」と気勢をあげて、徳利の酒をなみなみと碗《わん》に注いだ。

きのうにも増して、酒はたちまち回った。酒樽《さかだる》に腰をおろし、不覚にも白川夜船を漕《こ》いでいた彦四郎を、親爺が揺り起こした。

「おい、彦さん」

肩を握ったまま、親爺の手が震え始めた。

「いかん、また母上に不孝をかける」

立ち上がろうとして腰が摧《くだ》けた。酔ったせいではなかった。高橋《たかばし》の袂《たもと》の辻灯籠《つじどうろう》のかたわらに、大店《おおだな》の主人と見える男が伴《とも》も連れずに佇《たたず》んでいた。こちらに提灯《ちょうちん》の火を向け、たしかに恵比寿大黒に似た丸顔をにっこりと綻《ほころ》ばせている。かつて知ったる人に夜道で出会《でお》うたような笑顔であった。

酔うた侍たちは男を振り返って、口々に何やら噂《うわさ》をし合った。囁《ささや》きが聞こえるようである。

――丁稚《でっち》手代も連れずに、さては深川の妾宅《しょうたく》からの帰りじゃな。

――泊まってくればよかりそうなものを、よほどお内儀が怖いか。

――いやいや、豪気なものだ。きょうびの侍は、千石取りでも妾《めかけ》など持てぬ。

噂の的となったのを知って、男は夜店のただなかに歩み立つと、肥えたらうなじに手を当てて頭を下げた。

「ええ、みなさまお楽しみのところ、憚《はばか》りながら通らさせていただきます。つきましては、深川高橋の渡り賃てえことで、今晩の酒代《さかて》は手前が持たしていただきやしょう。のちのち店の者が何かお訊ねいたしましても、知らぬ存ぜぬてえことで了簡下さいまし」

侍たちは一斉に、おお、と低い歓声をあげた。

言いようによっては無礼な申し出だが、さすが大店の主人らしく物言い物腰は垢抜《あかぬ》けていた。侍たちはみな、口止め料をふるまわれたというより、そうした粋《いき》な理由をつけて江戸詰のつらい勤めを、労《ねぎら》われたように感じたはずである。

男は提灯をかざしたまま、海鼠塀《なまこべい》の前につらなる数軒の夜店をめぐって、過分の勘定を撒《ま》いた。太田備中守邸の門番にも金を渡そうとし、これはさすがに押し引きはしたものの、結局はうまくなだめすかして押しつけた。

今晩の高橋際《ぎわ》は、飲み放題食い放題ということになった。こうなると若侍などは、門長屋で眠りこけている同輩を呼びに行こうとする。それをやんわりと呼び止めて、

「お屋敷内の大ごとになりますと、手前の首が怪しいもんで、ご勘弁」

と、うなじをさすりながら頭を下げる。実にみごとな人あしらいであった。

夜店を一通りめぐると、男は高橋の袂の、とっつきの店に戻ってきた。親爺の二八蕎麦と、やはり古株の鮨《すし》屋が向かい合わせに店を張っている。

「おうおう、まさか稲荷鮨かよ。洒落《しゃれ》にならねえぞ」

親爺の声は裏返っていた。彦四郎はいくらか気を取り直し、これは思いすごしだ偶然だと、自分自身に言い聞かせた。

それにしても面妖《めんよう》である。この光景はたしかに、自分が母に向かって語った嘘《うそ》八百そのものではないか。

鮨桶《すしおけ》に稲荷鮨を山と積んで、向かいの店主がやってきた。

「旦那《だんな》さんはこちらで召し上がられるそうで。そんなら、うちは売りっきりの店じめえをさしてもれえやす」

蕎麦屋の灯の下にどさりと稲荷鮨の桶を置いて、鮨屋は喜色満面で戻っていった。

男がきた。恵比寿大黒と見紛《みまご》うふくよかな笑顔を、提灯の上あかりが照らし上げている。

「彦さん。どうやらおめえさんは、千石取りの御旗本に立身なさるらしい。出世払いは忘れねえでくれろ」

そう言ったなり肚《はら》をくくった親爺は、「いらっしゃいやし」と声を上げて男を迎えた。

面妖ではあるがけっして悪い話ではないのだと、彦四郎は怯《ひる》む気持ちを宥《なだ》め続けていた。

男は彦四郎と向き合って、親爺の勧めた酒樽に腰をおろした。提灯を吹き消すと、夜店のあかりが男の横顔を照らした。

齢《とし》のころなら五十のあとさき、鬢白髪《びんしらが》に艶《えん》を感ずる、なかなかの男振りである。着物は渋好みの路考茶《ろこうちゃ》だが、よく見れば麻の葉の模様が沈んでいて、黒縮緬《ちりめん》を襟《えり》に合わせているところなどは相当の洒落者であろう。羽織は黒無地の絽《ろ》で、肩が角張って見えるほどに鏝《こて》が当てられているのは、女房だか妾だかの始末のよさを感じさせた。こういう男は遊びこそすれ、女との悶着《もんちゃく》は起こすまいという気もする。つまり、絵に描いたようなお大尽であった。

「はい、ごちそうさん。けっこうなお味で」

ふと気付けば、彦四郎が物を思うていた一瞬の間に、鮨桶が空になっていた。まさかあの山盛りの稲荷鮨を一口で食うたとは思えぬのだが、ほかに考えようはなかった。

「改めてお尋ねするが、おまえ様はどこのどなたか」

精いっぱいの胆力をこめて、彦四郎は訊《たず》ねた。

「へい。伊勢屋と申します」

ふっと気の遠くなるのを、酒樽ごと踏み堪《こら》えてさらに訊ねた。

「お店《たな》はどちらか」

「向島土手下でございます」

日本橋ではなかった。少しほっとしたのもつかのま、彦四郎は腰を浮かせた。

「向島とは、いささか方角がちがうがの」

「へい。実はこの先に、古い出店がござるもので」

伊勢屋と名乗る男は、太くて柔らかな指先を道の先に向け、辻のあたりでついと右に振った。

「出店を出したはよいものの、どうも近在の評判が悪うて、長いこと燻《くすぶ》ってしまいましてな。ところが久しぶりに上客がついたということで、あるじの手前が出張って参った次第でございます」

久しぶりの上客、という一言に彦四郎の怖気《おぞけ》は消しとんだ。やはり思った通りである。実は霊験《れいげん》あらたかな三囲稲荷の御分社なのだが、遠い昔に冥加《みようが》を蒙《こうむ》った御徒士《おかち》の誰かが、後進を怖《おそ》れて悪い噂をふりまいたのだ。長い間にそんな噂も立ち消え、祠さえ草に埋もれてしまっていたところに、たまたま手を合わせたのがおのれであった。

「親爺《おやじ》、酒を持て」

へえい、となかば気を失った声を上げながら、および腰の親爺が徳利を捧《ささ》げ持ってきた。伊勢屋は蟒蛇《うわばみ》のごとくに酒を飲んだ。いや、お狐様のごとくに、というべきであろう。

「わしとて武士のはしくれゆえ、他聞を憚って居丈高な口をきくが、よろしいか」

「へい。ごもっともでございます」

「では改めて訊ぬる。このわしを、どこまで出世させるおつもりか。ちと事情があり申して、なるたけ早く、なるたけ高く立身させてほしいと思うておるのじゃが、いかがか」

伊勢屋は呆《あき》れ果てたように、じっと彦四郎を見据えた。神仏に対して無礼は承知である。だが彦四郎は、一日も早く妻と子をわが手に取り戻したかった。

「重ねてお願い致す。小十人組《こじゅうにんぐみ》組頭の任免を掌《つかさど》るのは若年寄、そこまでとは申さぬが旗本を監察する御目付役まで、なにとぞ一日も早う」

親爺が彦四郎の袖《そで》を引いて囁いた。

「彦さん。いくら何だってそいつァ図々《ずうずう》しいにもほどがある。どのみち悪いようにはなりゃしねえんだから、無体な注文はつけなさんな」

聞こえぬはずの囁きが耳に入ったらしく、伊勢屋はぐいと身を乗り出した。そして、柄に似合わぬ伝法《でんぽう》な声で言った。

「もしや、勘ちげえをなすってらっしゃいませんかい。手前は世を欺《あざむ》いてこんなたいそうななりをしているが、取り憑《つ》いて喜ばれるほどの者じゃござんせんえ」と彦四郎と親爺は言葉を失った。

伊勢屋は酒を呷ってから、真顔で言った。

「手前は、貧乏神でございますよ」

四

けたたましい夫婦喧嘩《げんか》の声に、彦四郎の朝寝は破られた。すでに日は高い。昨夜はよほど深酒をしたのであろうか、母が蚊帳《かや》を畳むのも知らずに眠りこけていた。

兄夫婦の口喧嘩は珍しいことではない。気丈な嫁が大声で押しまくり、兄がぼそぼそと言いわけをし、母が仲に入って宥めるのもいつもの通りである。近所の手前は憚らぬが、三人の子が寺子屋へと出たのを見計らって始まるところは、武家の夫婦らしい見識といえる。

彦四郎は痛む顳顬《こめかみ》をつまみながら、悪夢の余韻が消えうせるのを待った。

夢というより、悪い酒が祟《たた》ったのであろう。酒を売る店はどこも「上方《かみがた》からの下り酒」を称するが、屋台に灘《なだ》や伏見の生《き》一本を置くはずもなく、正体はみな地廻《じまわ》りの安酒にちがいない。

出世払いのただ酒に文句をつけてはならぬ。夢などは目覚めればたちまち、潮の引くように消えてなくなるのだから。

ところが夢と信じた昨夜の記憶は、潮が引くどころか目覚めるほどに満々とせり上がってきた。

こうなると聞き慣れた夫婦喧嘩も、うるさいと怒鳴り返したくなる。

彦四郎は夢か現《うつつ》かわからぬ出来事を、冷静に思い返した。

あの男は世を欺いてお大尽のなりをしているが、実は貧乏神だそうな。理屈は通っている。貧乏神がそれらしい破《や》れ衣と渋団扇《しぶうちわ》で現れたなら、誰だろうがそばにも寄らず、取り憑こうにも取り憑けまい。人を貧乏にするのが商売なのだから、そのくらいの知恵は働くはずだ。

さて、そうと名乗られたあと、どのようなやりとりがあったのだろう。

蕎麦屋の親爺は泡を吹いて倒れてしまった。彦四郎と貧乏神――いや、そういう呼び方はよそう。彦四郎と伊勢屋は差し向かいでしばらく酒を飲んだ。

(やめてくれと言われてやまるもんなら、はなっから出やしませんよ。ようござんすかね、今さら何をおっしゃろうが、手を合わせちまったおまえ様が悪い。物の売り買いにしたって、ポンと手を締めれァおたげえ四の五のは言いっこなしだ。それをおまえ様は、ポンポンと二度も手を締めなすったうえに、ではではなにとぞよろしう、とまでおっしゃったじゃあござんせんか）

（待て。ちょっと待ってくれ。わしはの、まさか貧乏神などではない霊験あらたかな神様じゃと思うたればこそ、柏手《かしわで》を打ってよろしくお願いしたのだ）

（さように思うたのはおまえ様の勝手でございましょう。貧乏神で悪うござんしたな。ただし、霊験はあらたかでございますよ。実力から申しますとな、伊勢の大神、出雲《いずも》大社あたりには一目置くとしましても、山王《さんのう》様や神田明神よりは上でございましょう）

（つまらぬ自慢などやめい。そうだ、わしに取り憑くのは仕方ないとしてもだな、ちと事情があって、これ以上貧乏になりようもないのだ。ハハッ、おぬしも商いにならぬとあらば、いかにあらたかな霊験もふるいようがあるまい。どうだ）

（ええ、そちらさんのご事情は存じ上げておりますがね。残念ながら手前どもの商いは、人に取り憑くんじゃあなくって、家に取り憑くことになっております）

（それはまずい。出戻りの厄介者の分際《ぶんざい》で家を潰《つぶ》したとあっては、ご先祖様に顔向けができぬわ）

（知ったこっちゃございません。先さんのご事情をいちいち斟酌《しんしゃく》しておりましたら、商いなどひとつもできゃしません。どうか了簡なすって下さいまし）

（了簡するとどうなるのだ）

（へい。たしかにおまえ様は無一文だが、ご実家には御禄《おろく》てえものがございます。そのうえに、御徒士の株てえたいそうなものもございますから、久しぶりにいい商いができます。有難う存じます）

（ちっとも有難くないわ。断じて了簡できぬ。早々に消えてくれ）

（いやはや、こいつァ参りました。みなまで言わにァわかっていただけねえか。手前が了簡下せえと申し上げましたのは、べつだんお願いをしてるわけじゃなくって、覚悟なせえまし、っていうところをいくらかやんわりと申し上げてるんで）

（覚悟しろ、かよ）

（さいです。了簡するしねえじゃなしに、覚悟なさいまし、という意味でございます）

（了簡できるものか）

（いんや、ご覚悟なさいまし）

彦四郎はたまらずに逃げ出した。千鳥足で振り返ると、小路の闇の先から提灯のあかりが滑るように後を追ってきた。

——彦四郎は大あくびをして起き上がった。

御徒士屋敷のたたずまいも、兄夫婦の口喧嘩も、いつに変わらぬ日常である。やはり悪い夢だったのだと、彦四郎は得心することにした。

着替えを済ませて離れ家を出る。祖父の代に建て増した母屋《おもや》は、表向に六畳と八畳、奥向にも同じ間取りの座敷があり、台所には一家七人が飯を食える広い板敷もついている。北向きの物置まで算《かぞ》えれば建坪は三十坪ばかりもあって、御徒士十五番組三十家のうちでも、まず一、二を争う立派な屋敷といえた。

門から玄関へと続く敷石を跨《また》いで木戸を押す。兄夫婦の口喧嘩は表向の六畳間である。諍《いさか》いの種は自分かもしれぬので、おいそれと声をかけるわけにもいかぬ。

井戸端で楊子《ようじ》を使いながら、彦四郎は生れ育った屋敷を眺めた。

こうして見ると、祖父は偉い人であったとしみじみ思う。父が早逝《そうせい》したあと、祖父は白髪を真黒に染めて復職した。兄が出役《しゅつやく》の年齢になるまで、老骨に鞭《むち》って御役を務め上げたのだった。

別所家代々の御役目は、紅葉山《もみじやま》御蔵内の武具手入れである。むろん将軍家の御具足は具足奉行が取り扱うが、御蔵内には御徒士衆が戦場で影武者を装《よそお》うための鎧甲《よろいかぶと》や武具が収蔵されていた。諸事雑用が務めである御徒士の中にあって、累代《るいだい》ひとつの御役に任じられることは異例であり、また具足扱いは武方の矜《ほこ》りでもある。当主不在のままその御役を奪われてはならなかった。

屋敷もそのころに建て増した。倅《せがれ》は死んだが別所の家は健在であることを示し、祖父は幼い子らを力づけたのであろう。

「六人百俵泣き暮らし」という言葉があるくらいなのだから、七十俵五人扶持《ぶち》の貧しい家計から、普請《ふしん》代をひねり出すのはよほど難事であったろうと思う。非番の日には、祖父母が板敷に膝《ひざ》を並べて手内職に精を出していたものだ。

立派な屋敷に住まったおかげで、父を喪《うしな》った淋《さび》しさも忘れることができたし、まわりから不憫《ふびん》な子供と思われずにすんだ。

祖父の俤《おもかげ》を偲《しの》びながら、ふと楊子を使う手が止まってしまった。

悪夢が甦《よみがえ》ったのである。自分の身ひとつであれば、たとえ憑《と》り殺されてもかまわぬ。だが、父祖代々が食《は》んできた七十俵五人扶持の御禄を奪われたり、御家人《ごけにん》株を失ってこの屋敷を人手に渡すようなことになったりしたら、たとえ腹を切っても冥府《めいふ》の祖父にまみゆる顔がない。

夢じゃ夢じゃと、彦四郎は気を取り直して口を濯《すす》ぎ、ざぶざぶと顔を洗った。

「彦四郎やい」

呼ばれて振り返ると、青ざめた母が台所の水口に佇《たたず》んでいた。

「どうなされた、母上。どこかお加減でも悪いか」

母は唇を震わせて、顔を被《おお》ってしまった。

「嫁御が腹を立てるのももっともじゃ。このような始末、母には口を挟《はさ》むこともできぬ」

言われてみれば、きょうの喧嘩は兄嫁の興奮甚《はなはだ》しく、尋常を欠いている。

「いったい、何がござったか」

「母からは申すべくもない。どうか話をよう聞いて、おまえも力になってたもれ」

腰手拭《てぬぐい》で顔を拭《ふ》くや、彦四郎は台所に駆けこんだ。板敷の襖《ふすま》を開けると、表向の六畳間にちんまりと座った兄が、困り果てた顔を彦四郎に向けた。

「これはよいところにおいで下さった。彦様もお聞き下さい」

と、兄嫁はようやく怒鳴り声を鎮《しず》めて言った。

「夫婦喧嘩は犬も食わぬと申しますぞ。何がござったかは存ぜぬが、厄介者が聞いてどうなる話でもございますまい」

しこたま水を飲んだばかりなのに、彦四郎は咽《のど》の渇きを覚えた。たわいもない夫婦喧嘩じゃと信じたいが。

「わたくしからお伝えしてよろしゅうございますな」

と、兄嫁は語気も鋭く言った。

「勝手にせえ。もはやどうなることでもあるまい」

口論に疲れ果てたのか、兄の物言いは捨て鉢である。彦四郎が座ると、兄嫁は膝で向き直った。

「別所の家は、もはやこれまでかもしれませぬ」

ええっ、と彦四郎は驚愕《きょうがく》した。事情などどうでもいいような気もしたけれど、聞かぬわけにはゆかぬ。少くとも覚悟はできていなかった。

「この月のお代物《だいもつ》を、湊屋《みなとや》にそっくり押さえられてしもうたのです。わが家には一粒の米もございませぬ」

いったいどうしてそのようなことになったのか、まったく有りうべからざる話である。湊屋は蔵前の札差《ふださし》で、遠い先祖のころから別所家の俸禄《ほうろく》を任せる、いわゆる「蔵《くら》宿《やど》」であった。年に三度のお切米も、毎月の扶持米も、すべて湊屋が仕切っている。

たしかによほどの大身でもない限り、それぞれの蔵宿には前借り金があり、別所家もその例外ではないが、悪習とはいえ長い慣例を覆《くつがえ》して俸禄を差し押さえるなど、聞いたためしもない。むしろ借金の利息を払いながら、かつかつに飯を食っていくというのは、御家人と札差のあたりまえの関係であった。

「それだけならまだよいのです。ひと月のことであれば、わたくしも里に頼るなり質屋に通うなりして、何とかやりくりもいたしましょう。ところが湊屋は、来月も再来月も、いやこの先ずっと御禄は借金の返済に回させて貰《もら》うと申すのです。月々の扶持米ばかりではなく、十月のお切米の三十五俵も渡すわけにはいかぬそうです」

「お待ち下さい、義姉上《あねうえ》。わしとていっときは一家のあるじでござったから、札差とのつきあいはよう存じておりますがの。そのように無体《むたい》な話は聞いたためしもございませぬ。何かの行きちがいでしょう」

兄嫁は、キッと夫を睨《にら》みつけた。

「ほれ、ごらんなさいまし。誰が聞いたところで、このようなばかばかしい話は信じませぬ。呑気者《のんきもの》の彦様ですら妙じゃとおっしゃる話を、旦那《だんな》様はなにゆえお受けになられたのですか。親子代々、別所の家が湊屋に積み重ねた借金がなまなかでないことは承知しております。しかし、そうした内実はどこの家でも同じでございましょう。ましてや今までも、御禄のうちからきちんと利息は差し引かれております。さよう律義《りちぎ》に暮らしているわが家だけに、湊屋がなにゆえ無体な仕打ちをするのか、旦那様はおかしいとは思いませせなんだか」

兄の傷悴《しょうすい》ぶりから察するに、むろんおめおめと引きさがってきたわけではあるまい。相応の談判をし、抗《あらが》ったあげくに力つきたのであろう。もっとも、根が気弱な人であるから、抵抗というても知れているが。

「そうは言うてものう。借金があることにちがいはなし、よその御徒士衆に比べれば、じじ様がこの屋敷を建つるにあたってご無理をなさった分だけ、わが家の嵩《かさ》が多いのはたしかなのだ」

その物言いには腹が立った。気が弱いのは生れつきだから仕方ないとしても、祖父のせいにするのは道理にはずれよう。

「兄上。口に出してはならぬことはございますぞ。じじ様は贅沢《ぜいたく》でこの屋敷を建て増したわけではござるまい。父上を亡《な》くしたわれら兄弟のためを思うて、ご無理をなさったのでございます。そのようなことを湊屋が言うたのであれば、無礼打ちに果たしても致し方ござらぬ」

「いやいや、べつに湊屋がはっきり申したわけではない。わしがそう考えただけだ」

「なお悪い」

まことに頼りない兄である。物事の道理を主張することができずに、長い物には巻かれてしまう。そのうえ、過《あやま》ちを素直に認めようとはせず、理屈を捏《こ》ねて他人のせいにする。夫婦喧嘩はたいてい兄のそうした気性が種になっていて、他《はた》で聞いていれば理はいつも兄嫁にあった。

目の前のそぶりを見ていても、わが身のこととして真剣に思い悩んでいるふうがない。まるで他人《ひと》事《ごと》か、さもなくば是非もなく振りかかった災難であるかのように、溜《ため》息《いき》をつきながら庭を向いている。

「狙《ねら》われましたな」

彦四郎は思いついて言った。

「何がだ」

当人は気付いていないだろうが、おそらく母も兄嫁もわかっているはずだ。この際、女では口にできぬことを、彦四郎は言わねばならなかった。

「みせしめでござるよ。きょうびは御家人の暮らしもいよいよ疲弊して、元金どころか利息も詰められぬ者が多いと聞き及びまする。あちこちにせっつくよりは、どこかひとつに狙い定めて思いもよらぬ取り立てに及べば、御家人たちにもなめられぬ。みせしめのためならば相手は誰でもよいのでしょうが、無礼打ちとなったのでは元も子もござりますまい。そこで、兄上が狙われたのです」

言い返そうとして、兄は言葉を呑《の》みこんでしまった。

「しかし、兄上。湊屋とて商売人でござるから、ただ飢え死ねと言うたわけではございますまい。この際、言いづらいことでも包み隠さずおっしゃって下さい」

それを口にさせるのはあまりに切ない。だが女が心配するのは目先の食い扶持ばかりであろう。当主たる兄は、洗いざらい話すべきだと思う。

「そこまで言わねばならぬか、彦四郎」

「家の方途は、家族みなで考えねばなりますまい」

兄はこくりと肯《うなず》いて、やはりさほど悩むふうもなく、他人事のように言った。

「湊屋が申すには、御徒士の株は良い値で売れるのだそうだ。何ならすぐにでも買うから、貸金を清算して、残った金で面白おかしく暮らしたほうが得であろう、と。きょうび武士などは割に合いますまい、とな」

とたんに、台所で母が泣き伏した。兄嫁は今にも摑《つか》みかからんばかりの剣幕をあらわにした。札差に会ったこともない女たちには、やはりそこまで思い及ばなかったらしい。

御禄は幕府の御蔵から頂戴《ちょうだい》するのだが、一切の代行は蔵前の札差である。つまり当主が札差の店に出張って、金利をつけるのつけられぬの、元金は詰めるの詰められぬの、あるいは物入りだからこれだけ貸してくれだの、という交渉をしたあげくに手打ちをした米俵が屋敷に担《かつ》ぎこまれて初めて、女たちは御禄を拝領したことになる。兄と湊屋の間では、はなから御家人株の売買の話が出たのであろう。だが手ぶらで帰った兄は、順を追って話すわけにはいかなかったのである。

ともかく、事態は逼迫《ひっぱく》している。何を言おうが刀に手をかけるはずもない兄の気性を見越して、湊屋は別所家に狙いを定めた。脅しではない。御家人株を売ってでも借金は返すものだというみせしめなのだから、湊屋が話し合いに応ずるはずはなかった。もし目論見《もくろみ》通りにことが運べば、湊屋を蔵宿とする御家人たちは慄《ふる》え上がるであろう。

「ところで、わが家の株はいくらで売れるのであろうな」

兄はこともなげに言った。間髪を入れず、「これ左兵衛」「旦那様」「兄上」という怒号が同時に三人の口から出た。

「いやいや、冗談」

失言を打ち消したものの、母と嫁と弟は腰を浮かせたまま兄を睨み据《す》えた。

「冗談にも言うてよいことと悪いことはござりますぞ、左兵衛」

「旦那様は子らを百姓町人にするおつもりですか」

「たいがいになされよ、兄上。別所の家を何と心得る」

三人はまた同時に声をあらげ、兄をそれぞれに指弾した。

すると、気弱なわりには強情なところもある兄は、ぷいと顔をそむけて開き直った。

「冗談ならば何を言おうが勝手であろう。湊屋が申すには、御家人株は軒並に下落しているにもかかわらず、御徒士衆ばかりは需《もと》めが多いそうだ。しかもわが別所家は御具足奉行手代《てがわり》の定役《じょうやく》もあるゆえ、五百両は下るまい、とな」

とうてい冗談とは思えぬ口ぶりである。無礼打ちに果たすどころか、どうやら兄は湊屋に水を向けられて、なかばその気になってしまっているらしい。

母は泣き伏したが、兄嫁はまっすぐに物の言えぬ夫に呆《あき》れながらも、話を冷静に受け止めた様子である。

「お家の借金につきましては、詳しうは存じませぬが、五百両とはまたたいそうな値でございますなあ。たしかにすべてを帳消しにして、一家が面白おかしう暮らしてもゆけましょう」

嫁のこの一言で、雲行きは俄然《がぜん》怪しくなった。当主夫婦の意思がまとまれば、母や彦四郎が口を挟むすきもなくなってしまう。

これはたまらぬ。武士がどうの、お家がどうのではない。夫婦はそれでよいとしても、厄介者の自分は住む場所も失って浪人となるほかはあるまい。むろん老いた母の身を兄夫婦に委《ゆだ》ねるわけにもゆかぬ。

「彦四郎、何とか言うて下され」

母は板敷に打ち伏したまま、泣声を絞った。

「しばらく。兄上も義姉様《あねさま》も、しばらくお待ち下され。湊屋の申し出は、戦で申すなら兵糧攻《ひょうろうぜ》めでござる。明日の米がないから、三河安祥《あんじょう》以来三百年も続く別所の家を開くというのは、いかようにも短慮と申すべきでございましょう」

「おまえに何ができる」

と、兄は蔑《さげす》んだ目で彦四郎を嗤《あざわら》った。

「井上軍兵衛が屋敷に出向いて、手切金でもせしめてくるか」

兄は鬱積《うっせき》していたにちがいない本音を口にした。

「何と申されまするか、兄上」

ひどい言い方ではあるけれども、兄に当たってはならなかった。非は離縁されたおのれにあるのだった。

ホホッと、兄嫁までもが彦四郎を嘲《あざけ》った。

「さようでございますな。今の彦様にできることといえば、それくらいでございましょう。あの悪者に慈悲の心などあろうとは思えませぬが、蔭腹《かげばら》でも切ったうえに金をよこせと詰め寄れば、あるいは」

　まさか提案ではない。夫婦が決めることに口を出すなと言うているのである。

　彦四郎は立ち上がった。口を出す分際ではないが、ここで黙りこくれば別所の家は消えてなくなる。

「ともかく、湊屋への返答はしばしお待ち下されよ。わしとて別所の家に生れ育った者ゆえ、できるだけのことはいたします」

「やめておけ、彦四郎。おのれがみじめな思いをするだけだ」

「いや。みじめな思いをして万が一にも家が保てるのであれば、いくらでもいたします。できるできぬではなく、できるだけのことをしなければのちのち悔いも残りましょう」

　まさしくお家の一大事であった。話が突然かつ重大すぎて、貧乏神のことなどはすっかり忘れてしまっていた。

五

小十人組御組頭井上軍兵衛が屋敷は、半蔵御門から四谷御門へと抜ける麹町《こうじまち》の広小路《ひろこうじ》を、途中で善国寺谷へと下った五番町にあった。

理不尽に甘んじていた怒りが一気に噴《ふ》き出て、彦四郎は深川から番町までの炎天下を、流れ出る汗ものかはと早足で歩いた。ところが番町の屋敷町に踏みこんだとたん、それこそ憑物《つきもの》が落ちたかのように、汗がすうっと冷えた。

番町には江戸市中のどこともちがう、清冽《せいれつ》な気が満ちている。大番、書院番、小性《こしょう》組番、新番、小十人組――いわゆる五番方と称する武役の住まう町である。

これら将軍直属の武士団の歴史は、それぞれ天正、慶長、元和《げんな》の古きに溯《さかのぼ》る。すなわち彼らには、御禄《おろく》の多寡《たか》にかかわらず旗本中の旗本としての自負があった。その矜《ほこ》り高さが、東西を内外の濠《ほり》に囲まれた起伏の多い番町という町の、風そのものに感ぜられる。

今にして思えば、そもそもそうした御役筋の家に、御徒士《おかち》の次男坊が婿入《むこい》りすること自体、異例であったといえる。

婿入りの前年の冬に、たちの悪い流行風邪《はやりかぜ》が江戸市中を席捲《せっけん》した。軍兵衛の倅《せがれ》もその悪疫《あくえき》の犠牲者である。まったく予期しなかった突然の不幸に、跡取りのいなくなった軍兵衛はよほどあわてたのであろう。そうした場合、御組頭という役職はすこぶる不都合であった。まず、御目見得以上の家格からは養子を迎えることができぬ。かといって、配下の家からの婿取りも、定めにより禁じられていた。近親者にも適当な男子は見当らぬとなれば、他人養子を取るほかはない。

そのようにして、本来の婿養子の手順がとざされ、他人養子という広い選択が可能となれば、これはむしろ次なる世代のためにも、たとえ不釣合な家格であろうと健康で有能な婿を探すのは人情というものである。

そこで、御徒士の出自ながら学問に秀《ひい》で、直心影流《じきしんかげ》の免許も授かった評判の若者に、白羽の矢を立てた。

油照りの屋敷町を歩みながら彦四郎は考えた。

軍兵衛の肚《はら》のうちには、謀《はかりごと》と呼べるほどの策があったわけではなかろう。血脈を継ぐ一人娘の八重に、健康で有能な種馬をあてがっただけなのだ。七十俵五人扶持《ぶち》の御徒士など、はなからどうとでもなる下賤《げせん》の侍だと考えていたはずであった。

そして、おそらく番町に住まう旗本御家人のすべては、軍兵衛と同じ目つきで彦四郎を見ていたのであろう。人を見るのではなく、馬を見る目で。家督を継いで御組頭となったのちも、配下となった二十人の組衆が同じ理由から自分に面従腹背していたのかと思うと、足かけ八年もの間この番町の風に身を晒《さら》していたおのれが、腹立たしくてならなかった。

善国寺谷の辻《つじ》を東に折れると、五番町の屋敷並びに黒瓦《くろがわら》も立派な井上家の長屋門が見えた。つい一年と少し前まで、入婿とはいえ井上彦四郎と称したおのれが当主であった屋敷である。

「武士が銭金の借用のために土下座をするなど、言語道断じゃ。早々に立ち去れい」

玄関の式台からかつての婿を見くだしたまま、軍兵衛は声をあららげるでもなく、冷ややかに言った。

陽《ひ》に灼《や》かれる彦四郎の背には、中間《ちゅうげん》たちの六尺棒が向けられていた。

「しばらく、しばらくお待ち下され。いかに無縁となったとは申せ、別所の家が御家人株を売ったなどと噂《うわさ》が立てば、その別所から婿を取ったご当家も世間の物笑いとなりましょう。拙者《せっしゃ》もさなる迷惑をおかけするに忍びず、罷《まか》り越した次第にござりまする。たとえ十両でも拝借が叶《かな》いますれば、湊屋に出向いて折衝をいたしまする。なにとぞ、市太郎が祖母と伯父を助くると思《おぼ》し召して、無理をお聞き届け下され。この通りでござる」

彦四郎は玄関先の敷石に額をこすりつけた。

「おい、彦四郎」

軍兵衛の老人臭い息が、耳元に吹きつけられた。

「使用人どもにも、目や耳はあるのだぞ。おぬし、暑気に当たって霍乱《かくらん》したのではないのか。当家の惣領《そうりよう》息子を他人のおぬしが呼び捨てにするなど、とうてい正気とは思えぬ」

「正気にござる」

玉砂利を双手《もろて》に握りしめて、彦四郎は声を絞った。

軍兵衛は一寸ばかりもあろうかと思える白毛まじりの鍾馗眉《しようきまゆ》をおっ立てて、間近に彦四郎を睨み据えていた。この紛《まご》うかたなき悪党面《づら》を、いっときでも父と呼んだ自分が情けなかった。もし市太郎の祖父でさえなければ、抜きがけの一太刀で斬《き》り捨てているはずであった。

彦四郎は目をつむって、大きく息を吸いこんだ。怒りが嵩《かさ》んで破裂しそうになったときはそうせよと、幼いころ祖父に教わった。井上の家でいじめ嘖《さいな》まれた日々にあっても、そうして呑気者《のんきもの》を装《よそお》い続けた。

「あきらめよ。このうつけ者めが」

「はい、あきらめまする。このことは、御息女や御孫様にはゆめゆめお伝え下されますな」

「伝えられようものか」

「つつがなく暮らしておいでか」

「おお、つつがない、つつがない。うつけ者が出て行ってからは、せいせいしたと申してな。このわしを夫とも父とも慕うて、つつがのう暮らしておるわい」

彦四郎は面《おもて》を挙げると、広い屋敷の表向を見渡した。妻や子がどこかから様子を窺《うかが》っているやもしれぬと思ったが、きつく戒《いまし》められているのであろうか、それらしい姿は見当たらなかった。

「ご無礼申し上げた。二度と再びご当家の門は潜《くぐ》りませぬゆえ、ご安心下されませ。ただいまも中間どもの止めるのも聞かず押し入りました。どうかこやつらをお責め下されますな」

そう言って踵《きびす》を返すと、かつて知ったる使用人たちは六尺棒を向けながらも、気まずそうに目をそらした。

「ひとつだけ忠告しておくがの、彦四郎」

「金は貸せぬが知恵は貸すとおおせられるか。なるほど、喜んで承りまする」

「七十俵五人扶持の御徒士株など、値のつくうちにさっさと売ってしもうたが利口じゃぞ。石頭のおぬしよりも、左兵衛殿のほうがよう世の中が見えておるであろう。わしが金を貸さぬわけは、つまりそれじゃ」

「お言葉ではござるが井上様」

と、彦四郎は思ったままを口にした。けっしてまちがいではあるまい。

「馬鹿《ばか》か利口かを考えおれば、そもそも武士などはとうにこの世から消えておりましょう。少くとも別所家は、三河安祥以来十八代も馬鹿を全《まっと》うして参りました。当代の左兵衛にだけ、利口になってもろうては困ります る」

「そういうおぬしのような侍を、馬鹿というのだ」

「武士であり御家人である限り、馬鹿はおたがいさまでござる」

捨て台詞《ぜりふ》でわずかに溜飲《りゅういん》を下げ、彦四郎は井上の屋敷を去った。

その帰り途《みち》のことである。

人目を忍んで菅笠《すげがさ》を目深《まぶか》に冠《かぶ》り、麴町広小路の南側を早足で歩いて行くと、ふいに茶店から声をかけられた。

「あ、御組頭様」

まるで隠れ鬼の鬼を見つけたような、実に間抜けな声であった。

「おお、小文吾《こぶんご》ではないか」

ほかの誰彼ならば顔をそむけてやりすごすところだが、つまり村田小文吾はそういう侍なのである。

かつて彦四郎の配下であった小十人組の番士で、ともかく組内二十人中、傑出して出来が悪かった。もし捨て台詞のごとくに武士が馬鹿であるなら、さしずめ馬鹿中の馬鹿ということになろう。

「もう組頭などではないわい。気が滅入《めい》るゆえそういう呼び方はやめてくれ」

「あ」、と小文吾の鰓《えら》の張ったあばた面が肯《うなず》いた。いったいにこの男の返答は、是も非も「あ」の一言しかない。どちらであるかは鰓の動きで判断しなければならなかった。

「あ、ではどうお呼びすれば」

「彦四郎でよい」

「あ、それはちと」

「言いづらければ名など呼ぶな。それでは声も出ぬというのなら、彦さんでどうだ」

組内では「鯔《ぼら》」と仇名《あだな》されていた。こうして見ると四角い顔の両脇《りょうわき》に目の離れた感じが、たしかに鯔である。

常日ごろから虚仮《こけ》にされていたものが、軍制の改変で小十人組が鉄砲隊となって以来、調練の折など危なっかしくて誰もそばに寄ろうとしなくなった。そういう配下であるから、組頭の彦四郎がみずから世話を焼いたものだ。

齢《とし》は彦四郎より二つ下である。すなわち三十になったはずだが、相変わらずというか、馬鹿さかげんにはさらに磨きがかかったように見える。

「嫁はもろうたか」

あ、と小文吾は顎《あご》を振って、申しわけなさげに手を首筋に当てた。

「井上の親爺《おやじ》殿は老骨に鞭《むちう》って復職なされたそうだが、おぬしにまで気が回らぬであろう。どうだ、みなにいじめられてはおらぬか」

とたんに、つぶらな鯔の目が潤《うる》んだ。庇《かば》う者のいなくなってから、小文吾がどれほど苦労をしているかは想像に難くなかった。

団子を焼く匂《にお》いが鼻をついて、腹の虫が鳴いた。考えてみれば、朝から口に入れたものといえば井戸端の水だけである。

「ちと事情があって金がないのだ。昼飯をふるもうてくれ」

「あ、かしこまりました」

泣き顔をほころばせて、小文吾は茶屋の中に彦四郎を引き入れた。卓についてからも、彦四郎の羽織の袖《そで》をしっかりと握ったまま離そうとしない。

「御組頭様、いや、もとい彦さん」

「それでよい。今となってはおぬしのほうが格は上だ」

「あ。わしは、ぜひとも申し上げたいことがござっての。どこかでお会いできる日を神仏に念じていたのです」

表情は神妙である。袖から離れた手で懐《ふところ》を探ると、小文吾は年季の入った数珠《じゅず》をたぐって、なむなむと手を合わせた。

小文吾の気の毒な人生を、彦四郎は思い出した。

代々小十人組の番士を務める、村田家の次男坊である。父親が通い女中に手をかけた末の庶子という話であった。その母方の血が祟《たた》ったのかどうか、学問も武芸もからきしで、おまけに幼いころに病んだ疱瘡《とうそう》のために見映えも悪い。この不出来者では養子の先も難しかろうから、いっそのことと親が案じて預けた先は、雑司《ぞうし》ヶ谷《や》の修験《しゅげん》道場であった。そこでまじないやらお焚《た》き上げやらに精を出していたところ、例の流行風邪で実家の兄がポックリと死んだ。こうとなればいかに馬鹿でも還俗《げんぞく》して家督を継がねばならぬ。かくて刀の差し方も様にならぬ御家人の当主ができ上がった。

小文吾のわけのわからぬ経文はしばらく続いた。

「遠慮のういただくぞ、小文吾」

「あ、どうぞ。なむなむ」


とりあえずの団子をがつがつと食らう間に、目刺《めざし》と沢庵《たくあん》に盛り切りの麦飯が運ばれてきた。


「御組頭様、もとい彦さん。あなた様もずいぶんご苦労なさったか」

「ああ、苦労も苦労じゃ。食うだけでもやっとの御徒士屋敷に、大の男が離縁されて出戻ったのだぞ。しかもだな、札差に借金が嵩んで、とうとう実家の御家人株を売るかどうかという瀬戸際《せとぎわ》だ」

「あ、それは苦労な」

「そこでだ、今しがた井上の家にかけ合うて参ったのよ。たしかに、わしに非がなかったとは言わぬ。しかし女房子供まで手放して身ひとつで出て行ったのだから、この際多少の援助をしてくれてもよかりそうなものだ。ちがうか、小文吾」

こらえていた怒りが噴き出て、彦四郎は話しながら箸《はし》をふるった。

「あ。で、ご首尾は」

「けんもほろろよ。まるでわしを、ゆすりたかりのように罵《のの》りおったわ」

愚痴はほめたものではないが、辛抱たまらずにこぼすとなれば小文吾はうってつけであった。相槌《あいづち》を打ってくれるだけでも、地蔵を相手にするよりはましである。

彦四郎はいよいよ箸を打ち振り、飯粒を吹き散らして激昂《げっこう》した。

「しかしそれにしてもよ、上番中に若年寄様からお勤め不行届の譴責《けんせき》を頂戴《ちょうだい》したのは、かえすがえすも不覚であったな。思い起こせばいよいよ腹が立つわい。くそ、あのとき岡島と林が大声で罵り合いなど始めなければ、軍兵衛につけ入る隙《すき》などけっして与えなかったものを。ほれ、おぬしも一部始終を見ておったであろう。わしが番所を出て、厠《かわや》に行っておったほんの一瞬の間であった。まさかわしより一回りも齢かさの岡島と林がよ、日ごろいったいどのような意趣があったかは知らぬが、いきなり斬《き》るぞ斬るぞと大声でわめき始めおった。しかも折悪《おりあ》しく、若年寄様が御廊下を通りすがったというのだから、わしもよくよく運がない」

小文吾がやおら箸を持つ手を摑《つか》んだ。ひどい口下手であるうえに、興奮すると吃音《きつおん》の弊が出る小文吾は、懸命に何かを伝えようとしていた。

「どうした。あわてずに物を言え。わしもあわてずに物を食う」

「あ、御組頭様もとい彦さん。わしが神仏に会いたし会いたしと願うて、あー、それは親爺殿のはかりごとで。岡島殿と林殿は銭を貰《もろ》うての猿芝居でござる。宿直《とのい》の晩に、わしは聞いてしもうたのだ。だからわしは会いたし会いたしと神仏に願うて、願い通じてなむなむ」

「全然わけがわからぬ。わからぬが何となくわかった」

彦四郎は箸を置いて頭を抱えた。神仏に願っても会いたし。親爺殿のはかりごと。猿芝居。宿直の晩――穏当を欠いた言葉をつなぎ合わせると、のっぴきならぬ真実が茫洋《ぼうよう》と浮かび上がった。

「小文吾。ひとつひとつ、ゆるりと話してくれ」

小文吾はとつとつと語り始めた。話を聞くほどに、土間の湿り気が脛《すね》を這《は》い上がってきた。

宿直の晩に酔うた勢いで岡島か林かが語った真実を、およそ想像するままに要約すればこういう次第となる。

（のう、小文吾。おまえを可愛《かわい》がってくれた彦四郎はの、まんまとわしらの術中に嵌《は》まったのだ。御徒士《おかち》の分際で、小十人組のわしらにああせえこうせえと、偉そうにしておるからこんなことになったのよ。人は分《ぶ》というものをわきまえねばならぬのだ。種馬は種付けをおえれば、とっとと里に帰ればよい。しかしまあ、非の打ちどころのない種馬というものも厄介だの。そこで井上様は若い時分より気心の知れたわしらをお呼びになられての、かくかくしかじか、一芝居打つことになったのだ。なに、ちっとも難しい筋書きではない。若年寄様が御廊下の先からおいでになるころあいを見計ろうて、わしらが心にもない罵り合いを始めればよい。折よく彦四郎は厠に行った。さてさて、わしらの口論をお咎《とが》めになった若年寄は立花出雲守《いずものかみ》様。あの御方は切れ者で評判だが、細かなことにそうそう目くじらはお立てにならぬ。ということはつまり、ことを大げさにするのは井上の親爺殿の勝手というわけだ。むろんわしらは構いなし、ただし組頭の監督不行届は許し難しとして、離縁の口実をでっち上げたというわけよ。まあ、井上様からはたんとご褒美《ほうび》も頂戴したし、しっかり者の彦四郎がいなくなれば、日々の調練も楽なうえに宿直の晩はこうして酒盛りじゃ。どうだ小文吾、無口なおぬしだからこそ酒の肴《さかな》にもなる話での。聞いたところでおぬしのいうことなど誰も信じぬであろうが、他言は無用ぞ）

彦四郎の怒りはついに破裂した。思わず立ち上がって、祖父の訓《おし》え通りに大きく息を吸いこんでも、とうてい憤《いきどお》りは収まらなかった。

これは私憤ではなく、公憤であり義憤であると彦四郎は信じた。小十人組は苟《いやし》くも五番方の一、今を去ること二百四十年前に二代将軍台徳院様のご創設にかかる武役である。こともあろうに井上軍兵衛は、その天下の御役目を姑息《こそく》なる権謀を用いて私した。しかも君側の士たる御徒士の名誉も足蹴《あしげ》にした。

軍兵衛を斬るは武士の道理である。いやこの別所彦四郎の体を借りて、東照大権現《とうしょうだいごんげん》様が誅《ちゅう》に伏すのだ。

「あ、ああっ、お待ち下され」

押っ取り刀で茶屋を駆け出た彦四郎の背を、小文吾ががっしりと組み止めた。

「放せ、小文吾。このまま堪忍《かんにん》したのでは武士の面目が立たぬ」

「あ、なりませぬ、なりませぬ」

「ならぬ堪忍するが堪忍と申すがの、さすがのわしも堪忍袋の緒が切れたわ」

とは言ったものの、小文吾は強力《ごうりき》である。馬鹿力という言葉は、この侍のためにあるようなものであった。彦四郎はじたばたとあがいたまま、たちまち人目につかぬ山元町の路地へと引きずりこまれた。

「放せ、小文吾。武士の情けじゃ」

「なりませぬ、御組頭様もとい彦さん」

「なぜじゃ。武士の面目を立てねばならぬ。いや、わしはあの悪党に天誅を下すのじゃ。この理由にまさる理屈があるというなら言うてみろ。馬鹿力では理屈にもならぬぞ」

力較《くら》べは小文吾が優勢のまま、二人は路地の奥へと入って行った。

「あー、理屈はあるのだがうまく言えぬ」

「言えるものなら言うてみろ。わしは八年もおぬしの世話を焼いて、だいたいは聞き分けられる」

「もうじき天下がひっくり返って、武士も町人ものうなる。徳川も御家人ものうなる。なむなむ」

え、と彦四郎は満身の力を抜いた。

「おぬし、何と言うた」

「はあ。うまく言うたが、二度は言えませぬ」

彦四郎がひやりとしたのは、小文吾のたったひとつの取柄を思い出したからである。幼いころから文武のかわりに修験道に励んだ小文吾は、一種の神力を備えていた。どの程度のものかは知らぬが、番町のご隠居たちの間ではたいそうな評判であった。

「あ。要はそのような気がするというだけで。だから武士の面目だの何だので、命を棒に振るのはいかがかと」

「思いつきでつまらぬことを言うではない」

いっそ冥土《めいど》の道連れに斬って捨てるのもやぶさかではないが、それではあまりに気の毒だと思い直し、彦四郎は腕に覚えのある柔術の技で大兵の小文吾を鮮かな背負い投げに投げ飛ばした。

小文吾の体はものの二間も宙を飛んで、辻稲荷《つじいなり》の鳥居もろとも地面に倒れ伏した。

これで邪魔者はいなくなった。かくなるうえは番町に取って返し、憎き井上軍兵衛を刀の錆《さび》にしてくれよう。

「これこれ。何と乱暴な」

聞き覚えのある声に、彦四郎は路地を振り返った。

辻稲荷の祠《ほこら》の蔭《かげ》からのそりと立ち上がったのは、伊勢屋と称するあの男である。麻の葉紋様の沈んだ路考茶《ろこうちゃ》の着物に黒無地の絽《ろ》の羽織を着て、博多の平絎《ひらぐけ》に銀細工の煙管《きせる》を差したところなど、相変わらずの洒落《しゃれ》っぷりである。

いや、相変わらずではない。あれは夢であったと決めつけていた彦四郎は、ワァッと声を上げて立ちすくんだ。

「なにを堪忍するのしねえの、武士の面目がどうのとつまらんことを言うてらっしゃる。おまえ様のご実家は、今ごろそれどころではございますまい」

そこでようやく、彦四郎はすべてが夢などではない現《うつつ》であると思い知ったのだった。

「おぬし、いったい何をしたのだ」

「何をって、ゆんべさんざ言うて聞かせたじゃありませんか。私ァ貧乏神でござんすからね、さっそく仕事にかからせていただいたまでです」

「おのれ、おのれっ」

彦四郎は刀の柄《つか》を握りしめた。

「だんびらでくたばるようじゃ、神も仏も務まりゃしません。何ならお試しなさいまし」

エイッ、と抜きがけに打ちこんだ刀は空を斬った。

「ほらね。そりゃあ貧乏神なんてのは、八百万《やおよろず》の神さんの中じゃ、足軽みてえなもんでござんすよ。そうは言ったって、斬られて死んでも行くところはないんです。第一、人に恨まれていちいち死んでた日にァあんた、体がいくつあったって足りゃしません。しかし、おまえ様は見かけによらず乱暴者だねえ。鳥居なんざ壊れりゃまた誰かがご寄進して下さるが、人の命はひとつっきりでございますよ。ほれ、しっかりしなせえ。よいこらしょっと」

伊勢屋は気を失った小文吾を抱え起こした。息を吹き返したとたん、二人は何をそうまで驚くのだというほど驚き、ワアッと同時に叫んでたがいを突き放した。

「あ、もののけじゃ。なむなむ」

「わわっ、おまえ様は何者だ。正体はわからんが何だかこわい」

小文吾は気丈にも立ち上がって懐から数珠を取り出し、なむなむと呪文《じゅもん》を唱《とな》えながら何やら印を結んだ。その動作は妙に垢抜《あかぬ》けており、小文吾を馬鹿としか思っていない彦四郎をひどく感心させた。

「悪霊退散。臨《りん》兵《ぴょう》闘《とう》者《しゃ》皆《かい》陣《じん》列《れつ》在《ざい》前《ぜん》。喝《かつ》ッ！」

「や、さてはおまえ様、名のある修験だな。乱暴はやめて下され、話せばわかる。人にはそれぞれの事情がございますが、神には神の事情というものがまたあるのです。どこの御師様《おしさま》かは存じませぬが、おまえ様ほどの法力がござれば、手前の立場も承知でらっしゃいましょう。ともかくおやめ下され、堪忍堪忍」

ふしぎなことに法力を顕《あらわ》した小文吾は、声も滑らかかつ堂々としており、その表情には馬鹿どころか知者の冴《さ》えすら窺《うかが》えた。

「彦さん。どうやらご実家の不幸はこの者の仕業らしい。何やら四の五のと御託を並べておるが、いかがいたすか」

「待て、小文吾。貧乏神の立場というのはどういうことなのだ」

「よくは知らぬが、おそらく半ちくな仕事をすると罰が与えられるのであろうよ」

はいはいと、伊勢屋は地べたにかしこまったまま肯《うなず》いた。

「おっしゃる通りでございます。神とは申しましてもな、上にはさらなる神がおるわけでございまして、そのあたりはみなさまと同様、悲しき宮仕えとお心得下さいまし。こちらの前主《ぜんしゅ》には、すでに大盤ぶるまいの元手もかけておりますし、商いはやりとげねばならないのでございます」

彦四郎は刀を収めると、伊勢屋を扶《たす》け起こした。人目に触れてはならぬし、何よりも神妙な神様なるものは気の毒だ。

「おぬしも苦労よのう」

と、彦四郎は伊勢屋の肩を抱いて、路地の廂間《ひあわい》を歩き出した。

「神のはしっくれならば、わしの事情などすべて知っておろう。神も人も、似たような苦労をしているとは思わなんだ。しかしのう、わしはどうあっても別所の家を潰《つぶ》すわけには参らぬ」

「拝んだおまえ様が悪い」

「まだ意地を張るつもりか。あの修験はの、わしの指図には何でも従うのだぞ」

「ええ、それはばかりはご勘弁。手前も商人《あきんど》ではございますから、前主のご無理はなるたけお聞きいたします。では、このあたりの算段で了簡《りょうけん》下さいまし。株は売り、わずかな金を手にして何とか食うてゆく半貧乏というところでいかがでございましょう」

「それはおかしい。御徒士の株には五百両もの値がつくそうだ」

「いえいえ。もしそのようなうまい話であれば、貧乏神の商いにはなりますまい」

二人は悪い話を囁《ささや》き合いながら、麹町の広小路に出た。うしろからは小文吾が、何やら呪文を呟《つぶや》きつつぴたりとついてくる。伊勢屋は時おり訝《いぶか》しげに振り返った。

「手の内を明かしますと、つまりこういうことでございます。湊屋《みなとや》の口車に乗って御家人株を売ったはよいものの、判をついたあと勘定を改めてみれば、親子代々つもりにつもった借金で受け取り金は帳消し。お家は丸裸となってみなさま路頭に迷う、と」

「何だと。まるで話がちがうではないか」

「考えてもごらん下さいまし、別所様。お家は御家人たちへのみせしめでございますよ。株を売って面白おかしく暮らせるならば、われもわれもと株売りが殺到いたしましょう。売り株が多くなれば買い株の値が下がるのは商いの道理でございますな。すると、売り買いをしない株の担保価値も下落いたしますので、札差は何ら裏付けのない不良なる債権を抱えこむことになります。つまり、別所様のお家はどうあっても、こてんぱんに没落していただかねば困るのです」

彦四郎は歩きながら天を仰いだ。まったく危ないところであった。もしたまたま小文吾に行き会っていなければ、大変なことになっていた。

「すまぬが、おぬしには消えていただく」

彦四郎は冷ややかに言った。

「おっと。それはそれで仕方ないかもしれませんがね、てめえ勝手に商人を呼んでおきながら、気に入らぬから帰れっていうのは、いくら何だってひどすぎやしませんかね。お侍様のなさることたァ思えません」

それも一理はある。ともかく貧乏神を招き寄せたのは自分の失態なのだと、彦四郎は士道に照らして悩まねばならなかった。

半蔵御門がやや傾きかけた夏の陽を真向に浴びて静まっている。武士たるものの面目において、彦四郎は貧乏神の立場を斟酌《しんしゃく》せねばならぬと思った。仁に悖《もと》る行い――おのれの利のために他者の損を生ぜしめるは、武士としてもっとも忌《い》むべき不仁である。

「困りもんでござんすねえ。前主が立派なお侍様でござるのは、手前も十分に承知しているのですがね。よおし、ならばこうしましょう。実はこうしたときのために、ひとつっつだけ格別の扱いてえのが許されておりましてね」

「格別扱い、かよ。何だねそれは」

「はい。宿替え、と申しましてね。前主に鬼神をして泣かしむるほどの事情がござったとき、恨み重なる誰かしらに、いっぺんだけ貧乏神を振っちまうことができるのです。つまり、貧乏神の宿替え先をおまえ様が決められるのだ」

不仁のきわみである。おのれが貧乏から免れるために、運命を他者に振る。これこそ士道に悖ると、彦四郎はきつく目をつむった。

「あ。御組頭様、もとい彦さん」

小文吾がもとの間抜けな顔に戻って、二人の間に割りこんだ。

「わしは、うまい話だと思いますぞ。ようお考えなさいまし」

なるほど、恨み骨髄の仇《かたき》に貧乏神を振るのは、最も理に適《かな》った意趣返しかもしれぬ。さして考えるほどもなく、彦四郎のうちに怒りが甦《よみがえ》った。

「しからば格別の扱いをお願い致す。宿替え先は小十人組御組頭、井上軍兵衛——」

半蔵御門から番町の甍《いらか》を振り返り、彦四郎は怨嗟《えんさ》の声を絞った。

六

実家への帰り途《みち》は、行手《ゆくて》に陽炎《かげろう》の立つほどの炎天下であった。

菅笠《すげがさ》の中で蒸された月代《さかやき》から溢《あふ》れ出る汗が、鬢《びん》を伝って顎《あご》の先から滴《したた》り落ちた。のみならず袴《はかま》の内では、しきりに股擦《またず》れが痛んだ。

しかしこの感覚は、どうも常の暑さとはちがう。びっしりと粟粒《あわつぶ》の立つ肌から、冷たい汗が滲《にじ》み出て体を柵《しがら》めていた。

嘉永の黒船来航よりこのかた、怪力乱神を語らぬが武士の嗜《たしな》みとされ、万事において理に適った物の考えをすることが、自然の風潮となっていた。むろん彦四郎も、そうした時代の教えを体得したひとりである。にもかかわらず——というより、だからこそというべきであろうか、彦四郎はもはや疑うべくもない邪神の顕現に怯《おび》えきっていた。

深川元町の組屋敷に帰りついたとたん、彦四郎は灼《あらたか》な霊験《れいげん》を目前にした。

「ようやった。彦四郎、ようやったぞ」

井戸端で顔を洗っていると、水口から走り出た母が声をひそめて彦四郎を褒《ほ》めた。

とっさに、井上軍兵衛の使いが金を届けでもしたかと思ったが、そうではなかった。留守中にやってきたのは湊屋の番頭で、主人の非礼を詫《わ》びたうえに、米俵を大八車に載せて担《かつ》ぎこんだという。なるほど台所の土間には、竹串《たけぐし》に札が差されたままの米俵が積まれていた。

「番頭が申すにはの、主人が無礼を申し上げた償いに、この月のお代物《だいもつ》は弁済も利息もなしじゃそうな。どうか話はなかったことにして下さいましと、番頭め玄関先で土下座をしていきおった」

「はて――それはまた、どうした風の吹き回しでしょうか」

母は頼もしげに彦四郎の顔を見上げた。

「なになに、母はすべて見通しておる。おまえは井上の家に頼みこんでくるなどと申しながら、実は湊屋に行って談判したのであろう。いったいどのような説諭をいたしたかは存ぜぬが、さすがは彦四郎じゃ。兄とは物がちがうことが、ようわかった」

「母上、わしはべつに――」

「おお、何もしてはおらぬと申すか。ならばそういうことにしておきましょう。しかしのう、彦四郎。母は承知しておりますぞ。おまえは大した侍じゃ。ようやった。ようやって下さった。父祖代々になりかわって、母が礼を申し上げますぞ。この通り」

母はまるで神仏を拝むように、汗みずくのわが子に向かって手を合わせた。

どうやら貧乏神は退散したらしい。それはそれで結構な話ではあるけれども、格別の扱いによって宿替えをしたのかと思えば、冷えた汗が襟首《えりくび》をまた伝った。

「左兵衛も嫁御も、おまえが余計なことをしたと思うておるであろうが、けっして文句は言わせぬゆえ、何も申すではないぞ」

「はあ。かしこまりました」

そのとき米俵の向こうに兄嫁が顔を覗《のぞ》かせて、「お帰りなさいませ、ご苦労様でした」と言った。紙を貼《は》ったような無表情である。五百両の夢は立ち消えたが、ともかくお家は保つことができたのだから一件落着、何ごともなかったということにいたしましょう、とでも言いたげである。

「旦那《だんな》様は急なお務めで、今晩は御城に宿直《とのい》でございます。彦様のおかげをもちまして、手弁当も持たせることができました」

御影鎧番《おかげよろいばん》の御役に急な務めなどあるはずはない。立つ瀬のなくなった兄は紅葉山《もみじやま》の御蔵で一夜を過ごし、番明けの明日も一日寝て暮らし、あさってからは知らぬ顔で彦四郎と向き合うにちがいない。

元を正せば自分が招き寄せた混乱ではあるが、そのせいであからさまになった兄の不孝と怯懦《きょうだ》を、彦四郎は肚《はら》の中で憎んだ。

兄が物々しい火消装束《ひけししょうぞく》の旗本に伴われて帰宅したのは、その夜も明けやらぬ六ツ前である。

宿直役が上番中に持場を離れて帰宅するとは、非常も甚《はなはだ》しい。しかも彦四郎の名を大声で連呼しながら、離れ家に駆けこんできた兄の顔色はただごとではなかった。

「よもやとは思うが、昨夜は出歩かなかったであろうな」

いったい何ごとかと蚊帳《かや》から這《は》い出た彦四郎に向かって、兄は座りもせずに言った。

「はい。屋敷は一歩も出ずにおりましたが、何か」

「ならばよい」と、兄は肩がすぼまるほどの息を吐いた。

「井上様のお屋敷が焼けた。おまえに火付けの嫌疑がかけられておる。火事場吟味役の御使番《おつかいばん》様から、直々のご詮議《せんぎ》じゃ。神妙にお答えせよ」

これは貧乏神の宿替えだと思いついたとたん、彦四郎は強い眩暈《めまい》に襲われて母の肩を摑《つか》んだ。

「一緒に寝ておりましたゆえ、母からも釈明をいたしましょう」

母はそう言って身仕度を斉《ととの》え始めた。

たしかに「格別の扱い」を頼みはしたが、これほど迅速に、しかも乱暴に霊験が顕れるとは思ってもいなかった。

「八重は、市太郎は」

兄を見上げて泥池の鯉《こい》のように息をつきながら、彦四郎はようやくそれだけを訊《たず》ねた。

「安心せい。幸い怪我人《けがにん》はないらしい。ただしお屋敷は蔵まで丸焼け、両隣まで貰《もら》い火を蒙《こうむ》ったそうだ。おまえが火を付けたのではないとすれば、これは天罰だな。そう思えば気味もよいが」

「これ、左兵衛。言葉が過ぎましょうぞ。とは言うものの、たしかに気味はよいわ」

母も兄もたしかに「ざまをみろ」という顔をしたが、彦四郎は内心穏かではなかった。井上の屋敷財産がことごとく灰燼《かいじん》に帰したことはともかく、かつての妻と子に不幸をもたらしてしまった。

羽織袴を身につけると、彦四郎は母と兄に伴われて母屋《おもや》の表座敷に向かった。玄関先には御使番の家来衆が、火付けの下手人を見るような目で彦四郎を睨《にら》みつけていた。

火事場の検分をし、将軍に上申する御使番は千石の旗本役である。御徒士《おかち》屋敷にそうした大身が上がるなど、まさしく火付けの吟味でもなければありえぬ話であった。

庭先はほの白んではいるが、座敷内は床壁《とこかべ》ばかりの際立《きわだ》つ闇《やみ》である。その床壁に巨《おお》きな影を倒して、火消装束の侍が座っていた。

「御使番の青山主膳《しゅぜん》様じゃ。何ごとも包み隠さずお答えせよ」

下座に膝《ひざ》を並べて、兄は言った。

「苦しゅうない、面《おもて》を上げよ」

彦四郎は御使番の胸元まで目を上げた。視線をかわしてはならぬのは、こうした相手に対する礼儀である。しかして「目上の者」という。

「苦しゅうない。も少し面を上げよ。目を見かわさねば詮議にならぬ」

しからば、と顔を起こしたとたん、蠟燭《ろうそく》の炎に照らされた御使番の面相に思い当たった。かつて直心影流の男谷《おだに》道場で代稽古《だいげいこ》をつけていたころ、さんざ打ち据えた門弟である。たしか青山という姓ではなかった。旗本の部屋住みが、うまい養子縁組にありついたというところであろう。

御使番もはたと気付いた様子であったが、知らぬそぶりで詮議を始めた。

「別所彦四郎だな」

「はい。いかにも」

「井上軍兵衛ならびに井上家使用人の供述によれば、前夜の竈《かまど》始末は十全であり、屋敷内には莨《たばこ》を喫《の》む習慣もないそうだ。しからば、かつて離縁をされたおぬしの逆恨みによる火付けにちがいないと、みなが口を揃《そろ》えておる」

「めっそうもござりませぬ」

彦四郎はきっぱりと否定した。だが、きっぱりと口にするには相当の覚悟が必要であった。たしかに火付けをした覚えはないのだが、貧乏神に宿替えを願ったのはおのれである。

「いかがいたした。めっそうなと申すわりには、顔色がすぐれぬぞ」

「かつては当主であった屋敷の不幸と聞けば、他人事《ひとごと》とは思えませぬゆえ」

「さもあろう。幸い怪我人は出なかったが、火付けではなく失火とあらば、井上軍兵衛もそれなりのお咎《とが》めを受けねばならぬ。よって、おぬしが下手人であるか否《いな》かは、井上家の存亡にもかかわる大事じゃ」

臆《おく》してはならぬと、彦四郎はみずからを励ました。井上軍兵衛に恨みはあるが、八重や市太郎を不幸にしたこともまたたしかであった。良心が彦四郎を責めた。

「おぬし、昨日井上家に出向いたであろう。借金を申し入れて軍兵衛に断られたそうだな」

母と兄の愕《おどろ》く気配がした。家族はみな、彦四郎が井上家に行くと言いつつ湊屋に談じこんだと信じている。

「さらば疑われても仕方あるまい。どうだ、おぬしも譜代の御家人ならば、潔《いさぎよ》く真実を述べよ」

見かわした青山主膳の目に、彦四郎は姑息《こそく》な悪意を感じた。

かつておのれを打擲《ちょうちゃく》した道場の恨みを、青山主膳はこの機会に晴らそうと考えているような気がした。あるいは、御徒士の厄介者という卑賤《ひせん》の侍に罪を被《き》せて、井上家の没落を救い、なおかつ御使番という職の手柄にしようと目論《もくろ》んでいるのかもしれなかった。

「お待ち下されませ、御使番様」

と、母が割って入った。

「彦四郎が昨夜、一歩たりとも屋敷を出ておりませぬことは、同じ蚊帳の内に寝ていたわたくしがはっきりと申し上げます」

いやいや、と青山主膳は母の訴えを往《い》なした。

「子の恨みは親の恨みでもあろうから、母者の申し出を取り上げることはできぬ。また仮に、彦四郎が屋敷におったにせよ、誰か人を雇うて火付けを働かせたとも考えられる」

彦四郎は拳《こぶし》を握りしめた。母を火付けの共犯のごとくに言う青山は許し難かった。叶《かの》うことならいっそ、貧乏神にまつわる顚末《てんまつ》の洗い浚《ざら》いをぶちまけたい気分だが、まさかそうとは言えぬ。

それにしても、千石取りの旗本がこれほど下品に見えるのは、どうしたことであろう。鉄札《てつざね》で綴《つづ》った錣《しころ》の胴衣の上に、鹿革《しかがわ》なめしの陣羽織を着た立派な火消装束であるにもかかわらず、武将の威厳が少しも感ぜられなかった。

この侍には実《じつ》がないと思った。道場でさんざ打ち据えられ、「参った参った」と頭を抱えていた軟弱な侍が、家門の誉れだけで養子に迎えられ、千石取りの旗本となった。これはその実なき侍の姿だ。

そう思えば、火事場を物々しい装束で駆け回る華やかな御使番は、実なき侍にふさわしい務めとも思えた。もともとは読んで字のごとく、将軍が直《じか》に差遣する使者の意であるが、さしたる務めのない名誉職であったところに、昨年火附《ひつけ》盗賊改《あらため》が廃されて、その領分を負うようになった。そもそも火事場の知識などはないのだから、まさに格好ばかりで実のない侍にうってつけの御役にちがいない。

「のう、彦四郎。わしは上様に直々、火事の顚末をお報《しら》せせねばならぬ立場なのだ。おぬしが潔白となれば、井上家は失火の責めを負うて家禄《かろく》召し上げとなるやも知れぬ。まことのことを申せば、この別所家にはお咎めなきようわしが取り計らう。のう、人を雇うて火付けをいたしたのであろう。正直に申せ」

妻子の苦難を思えば、厳しい選択であった。人を雇うて火付けをした、といえばたしかにそうとも言える。考えようによっては、あらぬ罪を蒙るわけではなかった。しかし潔白だと言い張れば、八重も市太郎も路頭に迷うことになる。

とにもかくにも、三巡稲荷《みめぐりいなり》なる祠《ほこら》に手を合わせたおのれが悪いのだと、彦四郎は肚をくくった。恨み重なる井上軍兵衛には一矢《いっし》を報いた。ならば見知らぬ遊び人でも雇うて、火付けをなしたでよいではないか。

「では、まことのことを申し上げまする」

と、彦四郎が背筋を伸ばしたときである。ふいに「しばらく、しばらく」という声が玄関先に響き渡った。

「ええ、お役人様に申し上げまする。町人の分限もわきまえず無礼は承知の上でございますが、どうかお聞き届け下さいまし」

襖《ふすま》が音もなく左右に開いて、玄関の杉板絵の衝立《ついたて》を背にして伊勢屋が座っていた。母も兄も青山主膳も、招かれざる客にしばし呆然《ぼうぜん》としていたが、彦四郎はさほど愕かなかった。出るべき役者が出てきただけのような気がした。

「やや、これは先日の」

と、母が間の抜けたころに言った。

「へい。彦四郎様とは飲み仲間の伊勢屋にございます。実は妾宅《しょうたく》からの帰りがてらにご当家に立ち寄らさしていただきまして、おふくろ様がぐっすりお休みなのをこれ幸いに、離れの奥の間にて彦四郎様と夜っぴいて飲んでおりましての。空も白んでまいりましたので、さてたいがいにするべいと、彦四郎様は床におつきになり、手前は帰りかけましたるところにこの騒動でございますよ」

伊勢屋はいかにも困り果てた顔で、呆然と注目する一座を見渡した。

いやはや団菊《だんぎく》もかたなしの名演技じゃと、彦四郎はひそかに感心した。妾宅帰りに飲み仲間の家に立ち寄って夜を明かしたところ、とんだ騒動に巻きこまれたという筋書きである。例によって身なりは押し出しのきく大店《おおだな》のあるじだが、鬢《びん》の乱れ具合といい無精髭《ぶしょうひげ》といい赭《あか》らんだ顔といい、述《の》ぶるところに疑いようはなかった。

うなじに手を当てて、伊勢屋こと貧乏神は続けた。

「手前が証人てえことであれこれお調べを蒙りますと、話の成りゆき上、川向こうの妾《めかけ》の家も知れちまいます。だからこっそり逃げ出そうと、忍び足でお屋敷を退散しかけたんでございますがね。しかしよくよく考えてみりゃあ、彦四郎様はきょうび珍しいぐらいの義理に堅いお人だ。手前が立場に窮するようなことは、たとえご自分のお命と引き替えてでも口になさらないにちがいありません。だとすると、手前の秘密を守るために、なさってもいねえ悪事をひっかぶっちまうかもしらねえ。そう思や、いかに商人《あきんど》たァいえ手前も男でございます。で、かくかくしかじか、肚を定めて罷《まか》り越した次第でして。へい、こうとなったら山の神も怖《おそ》れずに申し上げます。彦四郎様と手前は胸衿《きょうきん》うち開け合うた仲、昨晩は夜っぴいて飲んでおりましたし、人を雇うて火付けなどなさるお方じゃあございません。そこんところはこの伊勢屋、畏《おそ》れ多くも有徳院《はちだい》様の御代《みよ》から続く暖簾《のれん》にかけましても、はっきりと証《あか》し立てさしていただきます」

大商人の押し出しのうえに、立て板に水の物言いであった。いかに千石取りの旗本といえども、世事に疎《うと》い俄《にわ》か役人がその先を追及できようはずはなかった。

伊勢屋は敷居から膝行《しっこう》して、青山主膳のかたわらににじり寄った。

「ときにお役人様。たいそうなことを申しましても、手前は丁稚《でっち》から叩《たた》きあげた婿《むこ》養子でございましての。山の神はやはり怖ろしゅうてなりませぬのだ。ここはひとつ、お店《たな》の耳に入りませぬようよしなにお取り計らい下さいまし。つきましては、深川までお運びになられましたお足代てえことで」

言うが早いか伊勢屋は、いかにも慣れた手付きで重たげな紙包みを取り出し、青山の火消装束の袂《たもと》にすとんと落とした。

折良く兄嫁の運んできた茶を、青山は物思うふりをしながら啜《すす》りこんだ。

「なるほど。さなる証言を得たのであれば、この先の詮議の要はあるまい。では、井上軍兵衛が屋敷は失火ということで、上様にお届けいたす。邪魔をいたした」

一同が平伏する間に、青山主膳はそそくさと屋敷を去って行った。

障子を染める朝ぼらけの中で、人々はしばらくの間ぼんやりとしていた。それぞれがいったい何を思うているのか、彦四郎は気が気ではなかった。ややあって、母が伊勢屋に膝を向け直り、深く頭《こうべ》を垂れた。

「何をなされます、お内儀どの。手前はまことを申し上げただけでございますよ。お武家の奥方様が、商人ごときに頭をお下げになっちゃなりません」

母は手をついたまま言った。

「これですべて了簡《りようけん》がゆきました」

いったい何をすべて了簡したのだと、彦四郎は青ざめた。しかし、いかに勘のいい母とはいえ、まさか貧乏神の正体を看破《みやぶ》ったわけではなかった。

「やはり彦四郎は、けなげにも井上の屋敷を訪《おとな》い、借金を頼みこんだのでございましたか。断られたのち、とうとう伊勢屋どのにまでご無理を申し上げたのでございますな。しかるに伊勢屋どのは、湊屋に借財のお立て替えをなさって下すったばかりか、家族の寝静まった夜更《よふ》けにわざわざわが家にお越しになって、不甲斐なき彦四郎をば励まして下さっていたのでございましょう。折しもその夜に、憎《にっく》き井上軍兵衛の屋敷が焼けたのはまさに天罰、嫌疑のかかった彦四郎が身の証しを、たまたま居合わせた伊勢屋どのが立てて下さったのは、天恵と申すべきでございましょう。いったい何と申し上げてよいものやら、わたくしにはこうして頭を下げるほかに、謝する言葉も見当たりませぬ。これ、左兵衛、彦四郎。何をぽかんとしておる。お家の一大事を救うて下さった恩人に武士が頭を下げても罰は当たるまいぞ。いや、伊勢屋どのの御身にわが別所家の祖宗が憑《つ》き給《たも》うて、ことは無難に過ぎたのじゃ」

ははあっ、と家族は伊勢屋に向かって頭を垂れた。

言葉がないというわりにはよくしゃべる母である。誤解にはちがいないのだが、その想像するところは明晰《めいせき》であった。

彦四郎は貧乏神の様子を窺《うかが》った。やり場のない笑みをうかべて、しきりに照れている。神とはいえ、商売がら人に感謝されることには不慣れとみえる。

「まあまあ、どうかみなさまお顔をお上げになって下さいまし。いえね、そんなたいそうな話じゃあなしに、あの手のお役人てえのは、はなっから揺すりたかりのつもりなんでございますよ。湊屋にいたしましても、お役人にいたしましても、要は銭金で始末がつくだけの話でございましてね」

彦四郎と目を見かわして、伊勢屋は少し眉《まゆ》をひそめた。どうやらこの格別扱いの宿替えに面倒はつきものであるらしい。

「それじゃあ、手前は山の神のお叱《しか》りを頂戴しなけりゃなりませんから、引き取らせていただきます。もし使いの者が参りましたなら、帰るというのを引き止めたと言って下されば助かります。お邪魔いたしました」

伊勢屋はけっして神に見えぬ俗な挨拶《あいさつ》をし、疑うべくもない俗な足どりで座敷を出て行った。玄関を出たあたりで、曙《あけぼの》の空に向かって伸びをし、大あくびをすることも忘れなかった。

「お邪魔いたしました、か――」

洒落《しゃれ》に思い当たって、彦四郎は独りごちた。

七

不幸中の果報がもたらされたのは、その日の午下《ひるさが》りであった。

村田小文吾《こぶんご》がひょっこり御徒士屋敷を訪れて、この際に八重と対面する段取りをつけたからすぐに来てくれと言った。何でも、焼け出された井上家の一族と使用人たちは、麹町《こうじまち》広小路を二丁ばかり下った栖岸院《せいがんいん》と常仙寺に避難しているそうな。ひきも切らさぬ見舞客と、御目付や定火消《じょうびけし》や方角《ほうがく》の詮議にてんてこ舞いの軍兵衛の目を盗んで、八重を広小路の茶店に連れ出したのだという。

夫婦の仲をむりやり引き裂かれてこのかた、夢に見ぬ夜のなかった八重と、よもやこんな不幸のせいで会えようとは思ってもいなかった。

「おぬしの機転は有難いが、どことなく八百屋お七の気分だ。もしやわしは、この世の中で最低の男ではなかろうか」

「あー、何を申されるか彦さん。もとはといえば井上様が悪いのだ。その悪者に悪い神をぶっつけて何が悪い」

理屈はその通りである。はたして小文吾が馬鹿なのか利口なのか、彦四郎にはわからなくなった。

高橋《たかばし》の袂から舟を雇って、御濠《おほり》ちかくまで乗っこんだほうが早かろうと彦四郎は考えたのだが、小文吾はとっさに霊巌寺門前の材木屋に談じこんで、馬を二頭借り受けてきた。なるほど馬をせかせれば麹町まではものの小半刻《こはんとき》であろう。

小十人組は徒士であるにもかかわらず、小文吾の手綱さばきはなかなか堂に入っていた。

轡《くつわ》を並べて進むみちみち、彦四郎はけさ方の一件をありていに伝えた。

「かくして、あやうく火付けの下手人とされるところを、伊勢屋に救われたというわけだ」

「あー、それは何も人助けをしたわけではございますまい。貧乏神として当然のつとめを果たしたのです」

「そうは申してものう、宿替えを頼んだのはわしなのだから、手間をかけさせて申し訳ないと思うた」

「いやいや、彦さん。商人ならば商いに手間をかけるのは当たり前、何もおまえ様が申しわけなく思うものでもござるまい。あー、まったくおまえ様は人がいい」

人がいい、とは他人がしばしば彦四郎を評して口にする言葉だが、けっして褒めているわけではあるまい。この気性で損をしていることは承知の上であった。何ごとにも謙《けん》であるのは士道の美徳とするところにちがいないはずなのに、謙なれば益を得るどころか損をするという、この世の中が悪いと彦四郎は思った。

「あー、彦さん。わしはこれまでにも、邪神なるものとたびたび法力をもってわたり合うて参りましたがの、あの商人のなりをした貧乏神はなかなかの凄腕《すごうで》でございますぞ」

「ほう、さようか」

「あ。さすがに宿替えとかいう格別の扱いは初耳でござるが、にしても、乗り替わったとたんに屋敷が丸焼けとは、妻腕の上にも情無用じゃ。あな怖ろしや、なむなむ」

宿替えの頼みごとは軽率に過ぎたと、彦四郎は早足に馬をせかせながら暗澹《あんたん》となった。

よしんばわが身にふりかかった災難を他人に振るにせよ、軍兵衛への意趣返しに重ね合わせるとは、いささか浅慮であった。軍兵衛が貧乏神になれば、八重も市太郎も同様の目に遭《あ》うという当たり前のことに、なぜあのとき気付かなかったのであろう。

おのれのせいで不幸になった八重に、今さらどのような言葉をかけてよいものかと、彦四郎は逢瀬《おうせ》が近付くほどにいよいよ塞《ふさ》ぎこんだ。


小文吾と出会うた昨日の茶屋で、八重は生き別れた夫を待ちこがれていた。

衝立をめぐらした奥の一間に、泥に汚れた小袖《こそで》を着てちんまりと座る八重を見たとたん、彦四郎の胸は自責の念でいっぱいになった。

どう声をかけてよいかもわからず、ただ喘《あえ》ぐように、「市太郎は無事か」とだけ訊《たず》ねた。

「村田様のご機転にておまえ様にひとめ会わせていただけるのならば、ぜひとも連れて参ろうと思うたのですが、背中に火傷《やけど》を負うてしまいまして」

「何と、怪我を蒙《こうむ》ったか」

ああっと呻《うめ》いて彦四郎は頭を抱えた。おのが手で、愛《いと》しきわが子の背に焼鏝《やきごて》を当てたようなものであった。

「怪我人はないと聞いて、安堵《あんど》しておったのだが」

「それがまあ、お聞き下されませ。御使番の青山様がお訊ねになられた折は、怪我など蒙ってはおりませぬと涼しい顔で答えていたのです。それが、どうにも様子がおかしいので体を検《あらた》めてみますと、寝巻の襟首に火屑《ほくず》が舞いこんだとみえて、肌がべろりと剝《む》けるほどの火傷を蒙っておりました」

おのれの背に痛みを覚えて、彦四郎はきつく目をつむった。

「なにゆえそのような嘘《うそ》を言うたのだ」

「おそらくは、怪我人が出れば爺様《じじさま》が咎《とが》められるとでも思うたのでしょう。市太郎は気丈なうえに、心根のやさしい子でございますから」

八重は汚れた袖をからげて、瞼《まぶた》を拭《ぬぐ》った。

「家の者はみな、おまえ様が人を雇うて火付けを働いたにちがいないなどと申してお

ります が、八重と市太郎はけっしてそのようなことなどあるはずはないと信じております。こうして妻と子を案じて駆けつけて下さるのが何より潔白の証し、父上や母上に伝うることのできぬのが、八重は悔やしゅうてなりませぬ」

座敷に上がって八重のかたわらに座ったはよいものの、物を言おうとするそばから昏が寒くなった。

「あー、八重どの、おいたわしゅう」

と、小文吾が目頭をおさえてほろほろと泣き始めた。

馬鹿か利口かはともかくとして、あんがい勝手な奴《やつ》だと彦四郎は思った。そもそも井上軍兵衛に宿替えをさせよと、焚《た》きつけたのは小文吾である。それを今さら、「八重どの、おいたわしゅう」でもあるまい。

八重を長居させるわけにはいかなかった。避難先の寺を脱け出てから、すでに一刻《とき》は経《た》つはずである。

昏寒し、と思いつつも彦四郎は、やむにやまれぬ好奇心から、この際最も気にかかってならぬことを訊ねた。

「ときに、八重。井上家の財産はことごとく虚《むな》しゅうなってしもうたか」

小文吾がはたと泣きやんで彦四郎を睨《にら》みつけた。

不謹慎である。無責任である。しかし貧乏神の実力がいかほどのものであるか、知りたいのは人情というものであろう。

「はい。何もかも、虚しゅうなってしまいました。もしや蔵の焼跡に小判の焼身ぐらいはあろうかと探しもいたしましたが、さなる金目のものは町火消の人足や、定火消の臥烟《がえん》どもの役得にござりますれば、小判どころか一文の銭すら見当たりませなんだ」

「ということは、貧乏になってしもうたか」

少々言い方が直截《ちょくさい》に過ぎたかとも思ったが、打ち沈んだ八重が怪しむふうはなかった。

「はい。井上が家は、無一文の貧乏人になり果てました」

このうえ希《のぞ》むべくもない答えであった。彦四郎と小文吾は、思わず「おお」と声を揃《そろ》えた。

べつに他人の不幸を喜んでいるわけではない。いわんや意趣返しのなった快哉《かいさい》の声でもなかった。いささか遠い譬《たと》えではあるけれども、手練《てだ》れの剣がみごとに据物《すえもの》を切り落としたときなどに、周囲から思わず洩《も》れ出る「おお」と同種の歎声《たんせい》であった。

「それればかりではございませぬ。噂《うわさ》に聞くところでは、拝領屋敷の失火はきついお咎めを蒙るそうで、おそらく井上家は家禄《かろく》召し上げのうえ断絶ということに」

そこまでをようやく言って、八重は彦四郎の膝《ひざ》に泣き伏した。

貧乏神の実力に感心している場合ではなかった。再び自責の念がひしひしと迫り、彦四郎は慰むる言葉も思いつかぬままに、八重の背をさすり続けるほかはなかった。

「わしには、力がない。この期《ご》に及んで、おまえと市太郎を養うことすらできぬ。許せよ、八重」

「さようご自分をお責め下されますな。この不始末は、おまえ様をないがしろにした井上の家に、権現様《ごんげん》が天罰を下されたにちがいございませぬ。父上や母上や、御組衆のどなたが何と申されようと、おまえ様は御家人《ごけにん》の鑑《かがみ》でございました。さなる忠義の武士を奸知《かんち》にて陥《おとしい》れれば、東照大権現様のお怒りに触れるのももっともにございましょう」

それは権現様のせいではなく、貧乏神の仕業なのだよ、と言いたいところだが言えるはずはなかった。

「しばし辛抱せい。わしは必ず身を立つる方途を探す。今いちど、おまえと市太郎と、ともに暮らしたい」

けっして口先の方便ではなかった。彦四郎は心の底からそう誓った。

「父上母上を恨んではなるまいぞ。市太郎ですら父上をかぼうて、火傷を痛いとも言わぬのだから、おまえが父上を責めてはならぬ。よいな、八重」

八重は彦四郎の膝を揉《も》みしだきながら、身をよじって泣いた。おのれは士道に悖《もと》る行いをしたのだと、彦四郎は天を仰いだ。それればかりではなく、そもそも理由のいかんにかかわらず、意趣返しなどというものは士道に悖ると思った。

「もはや、おまえの父母にも、亡《な》き兄上の嫁御どのにも、何の恨みもない。叶うことならば今いちど、みなさまと一緒に暮らしたい」

「何と申されますか」

「慰めではない。わしはいま、心底さように思うた。軍兵衛どのはわしを陥れたのではないのだ。わしに孝養の心が欠けていたから、忌《い》み嫌われたにちがいない」

「ああ、まったくおまえ様は人がいい」

と、八重はどこかで聞いた文句を口にしながら、またひとしきり泣いた。

たしかに慰めの言葉ではなかった。生みの母は孝養心のない倅《せがれ》を恕《ゆる》してもくれるが、そこまでの寛容さが、血脈なき井上の一族にあるはずはなかった。お務めこそつつがなくなしてはいたものの、井上の父母がわが子と思えるほどの孝養を尽くしてはいなかったのだと、彦四郎はおのれの至らなさを恥じた。

人がいいのではない。謙なれば益を受くるどころか損をするこの世の風潮に、おのれも知らず知らず毒され流されていたのであろう。孝養に欠けていたのは、すなわち士道の美徳たる謙譲の精神に欠けていたのにちがいなかった。そもそも自分の本性が士道に悖っていたのだと彦四郎は思った。

「そろそろ帰らねば人が怪しむ」

彦四郎は八重の体を引き起こした。叶うことならば、このまま地の果てまで搦《から》め取ってしまいたいほどに、愛《いと》しい妻であった。

泣き濡《ぬ》れた顔を腰手拭《こしてぬぐい》で拭《ふ》き、それから瞼の開かぬうちに、ほんのそっと、唇を重ねた。

「わしは必ず、おまえと市太郎の幸せを取り返す。おまえの父母にも、今いちど孝養を尽くす。きっとそうする」

小文吾がいっそう声を上げて号泣したのは、おそらく法力を以《もっ》て彦四郎の胸のうちを読み切ったのであろう。

「あー。しからば、八重どの。わしがお送りいたしまする。番町の近在に失火を詫《わ》びて回っていたということで。わしは馬鹿ゆえ誰も疑いはいたしませぬ。こういうとき馬鹿は都合がよい」

半蔵御門から四谷見附《よつやみつけ》に至る麴町広小路の大きな空は、茜色《あかねいろ》の夕映えに染まってい
た。小文吾に伴われた八重は、遠ざかりながら振り返り、また振り返り、そのつど人
目を憚《はばか》って頭は下げずにそっと胸前に掌をかざした。遠目にも眩《まば》ゆい腕《かいな》の白さが、彦
四郎を二度泣かせた。よしや夜ごとの褥《しとね》で抱けずとも、そばにいてくれるだけでどれ
ほど幸せであろうかと思った。

やがて八重の姿は、西陽の耀《かがよ》いに消え入ってしまった。

「やれやれ、難儀な話でございますのう」

聞き憶《おぼ》えのある声にふと振り向く。しばらく夕日を真向《まつこう》に見つめていたせいで、視
野から色が奪われていた。

何もかもが艶《つや》のない黒と白とに見ゆる茶店の縁台に、どっかりと腰を据えて莨《たばこ》を吹
かしているのは、あの男だ。

いつからそこにそうしていたのであろうか、色のない緋毛氈《ひもうせん》の上には、饂飩《うどん》の鉢や
ら団子の串《くし》やらが取り散らかっていた。

これほど非道な行いをしておきながら、「難儀な話でござい」とは何という言いぐ
さであろう。彦四郎が呆《あき》れ果てるうちに、伊勢屋は煙管《きせる》を置き、さも満腹そうに小楊《こよう》

枝《じ》を使い始めた。そのしぐさは、饂飩や団子で腹がくちくなったのではなく、井上軍兵衛が財産をことごとく食ろうて満足しているかのように見えた。

　彦四郎の胸に怒りが滾《たぎ》った。かつての憤《いきどお》りは当たるあてのない理不尽であったが、今度ばかりは目の前の邪神が紛《まご》うかたなき仇《かたき》である。そのぶん、怒りはたちまち暴力に変わった。

「おォのォれェー」

　と、彦四郎は怨嗟《えんさ》の声を絞りながら伊勢屋の襟首を捻《ね》じり上げた。

「おぬし、いったい何をした。何をしたのだ」

　ふしぎなことに、刀で斬《き》っても斬れはせぬが、死なぬ程度の苦痛は人並みに感ずるらしかった。伊勢屋は身悶《みもだ》えながらようやく言った。

「く、くるしい。乱暴はおやめ下され、話せばわかる」

「話してわかろうものか。おまえなどを生かしておいては世のため人のためにならぬ。殺してくれるわ」

「死ねるものなら殺されたい。死のうに死ねぬ貧乏神の苦しみを、おまえ様も常住《じょうじゅう》死身《しにみ》の武士ならばわかってくれてもよかりそうなものだ」

「死ね死ね」

「ええい、わからんお人だ。死ねぬ神に死ね死ねとせっつくは、死んだ人間に生き返れと言うほどの無体にございますぞ」

ばかばかしくなって力を抜き、返す拳固《げんこ》を顎《あご》に見舞った。伊勢屋は縁台に腹這《はらば》ってしばらく死んだふりをしていたが、それもやはりばかばかしくなったとみえて、頬《ほお》をさすりながらむっくりと起き上がった。

突然の騒擾《そうじょう》に驚いた茶店の親爺《おやじ》が、おそるおそる冷や酒を運んできた。

「まあまあ、どのような行き違いかは存じませぬが、仲直りの御酒《ごしゅ》でもお召しなさいまし」

考えてみれば昨日から、まったく経緯不明のまま泣かれたりわめかれたり、果ては死ぬの殺すのと騒ぎ立てられる茶店は大迷惑である。にもかかわらず、仲直りの酒をふるまう店主はひとかどの人物であろう。

まさかこの心遣いの酒に手を付けるわけにはいかなかった。

「借りた馬を返さねばならぬ。深川まで付き合え」

路傍の椎《しい》の木に繋《つな》いだ二頭の馬の手綱を解き、片方を伊勢屋の手に握らせた。

「町人が馬に乗るわけには参りませぬが」

「曳《ひ》いて行こう。みちみち話し合うことは山ほどもある」

「はい、実は手前も、おまえ様にお話ししたいことが山ほどございます。ならば、みちみち」

　お騒がせしましたな、と伊勢屋は縁台の上に小判を置いた。茶店の勘定にしては法外の金である。

　馬を曳きながら振り返ると、親爺は小判を押し戴《いただ》いて見送っていた。

「得心ゆかぬな。高橋の大盤ぶるまいといい、御使番様への袖《そで》の下といい、今の勘定といい、おぬしは貧乏神のくせに気前がよすぎる。いや、貧乏神が金持ちということが、そもそもいかがわしい」

　彦四郎と肩を並べて馬を曳きながら、伊勢屋は少し言葉を選んだ。どうやらその矛盾は、本人も説明がしづらいとみえる。

「のう、別所様。おまえ様は銭金がさほどに大切なものとお考えでございますか」

「当たり前だ。銭がなければ飯が食えぬ。飯を食わねば生きてゆけぬ。生きていてこその人間であろうが」

「ごもっともで。しかし、人の世はどうか知らぬが、神々の間では銭金なるものはどうでもよいものとされているのでございますよ。その理屈は、賢いおまえ様なら言わずともおわかりでしょうが」

　理屈は簡単である。生きていてこその人間は飯を食わねばならず、食うために金を稼がねばならぬ。天下の御禄《おろく》を食《は》む御家人といえども、その論法の埒外《らちがい》ではなかろう。するとすなわち、死なぬ神にとっての銭金は、どうでもよいものということになる。

「そりゃあ、人間界が拝み奉《たてまつ》っている銭金でございますからね、神といたしましても値打のまったくないものじゃあございません。むろん賽銭《さいせん》なんかは、有難く頂戴《ちょうだい》いたしておりますよ」

「わからんな。賽銭を貰《もろ》うて何が有難いのだ。しょせんは坊主や神主の食い扶持《ぶち》であろう」

「まあ、そうなんですけど。要は人間がさように大切な銭を、神仏に投げるというその心をな、有難く頂戴しているてえわけです」

「ふん。きれいごとをほざきおって。で、何だね、だとするとそのどうでもよい銭金を人間から奪おうなどというおぬしの仕事は、八百万《やおよろず》の神々のうちではよほど卑《いや》しいということになるが」

　はあ、と伊勢屋は気の抜けた返事をした。おそらくそれを言われては身も蓋《ふた》もないのであろう。うなだれた横顔は悲しげであった。

「ざまをみろ。ぐうの音も出まい。もっとも、かくいうわしは七十俵五人扶持の御徒《おかち》士《ち》の厄介者、神と人とのちがいこそあれ、おぬしと似た者だがの」

半蔵御門の前を折れ、二人は御濠《おほり》ぞいの道をとぼとぼと歩いた。御城の深い木立ちは夕陽を浴びて、秋かと見紛う朱色《あけいろ》に染まっていた。心地よい風が乱れた襟やら袖を吹き抜けた。

「そうは言うても、似て非なるところはございますよ」

「さよう。人は死ぬるが神は死なぬ」

「いえいえ、そんなことじゃあなしに――手前は御徒士みたいな貧乏神ではございますが、貧乏神なりの矜《ほこ》りてえもんを持っております」

これはきつい一言である。彦四郎もつねづね思うところである。貧乏神には矜恃《きょうじ》があるが、きょうびの侍にはそれがないと図星をさされた。八百年の武士の世、二百六十余年にわたる徳川の治世もいよいよ錆《さ》びたかと思えるほど、侍は本来の矜りを喪《うしの》うている。物価の高騰《こうとう》に御禄の釣り合わなくなった御家人は、札差や市中の金貸しに生殺与奪の権を握られ、人材のいない幕閣は老中若年寄の大官さえも、人事の交代が甚しい。矜り高き侍など、少くとも旗本御家人の中にはひとりとておるまいと思えた。

「その矜りとやらにかけて、井上が家を焼き尽くしたか。怖ろしいやつだ」

「はい。取り憑《つ》いた人間を無一文にするのが手前の務めでございますからな。手前は貧乏神の矜りにかけて、本分を全《まっと》うしただけでございますよ」

「非道なやつめ」

「人間から見れば非道な行いでも、手前の本分からすると正道なのだから仕方ありますまい。それに、くどいようだがその非道を仕向けたのはおまえ様です」

もういちど殴りつけようかと思って立ち止まると、伊勢屋は彦四郎の目の前に指を据えて罵《ののし》った。

「まったく、手前とおまえ様と、どちらが非道かよく考えてみるがいい。少くとも手前は、おのが本分を全うしているのだ。それに引きかえ、おまえ様はいったい何をなすった。おのが利のために他人を陥《おとしい》れただけではないか。つまるところ、矜りを喪うた侍とはおまえ様のことだ。言いたいことが山ほどもあると申されましたな。さあ、手前に文句がござるのなら、その山ほどを並べてみなさるがいい。どうだ、山とあるはずの文句も、こうと責むられれば一言もござるまい。だいたいおまえ様は勝手だ。手前はおまえ様の境遇があまりに憐《あわ》れじゃと思うたればこそ、上の者にお願いして格別扱いの裁可を承りました。そうした神の苦労も知らず、やれ非道の乱暴の、梵鐘《ぼんしょう》の提灯《ちょうちん》のと、わけのわからぬわがままを言うおまえ様は武士の風上にも置けぬわ。どうだ、このうえまだ文句がござるのなら言うてみい。ほれほれ、言えるか、言えまい」

邪神とはいえ、神ののたもうことは正論であった。こうなると、まるで借金取りとの押し問答である。たとえ金貸しがどれほど無体を言おうと、非は借りたほうにある。

返すがえすも、酔うたはずみとはいえ三巡稲荷なる祠《ほこら》に手を合わせてしもうたおのれを、今さら呪《のろ》うほかはなかった。

すっかり非を悟った彦四郎は、尾羽うち枯らして馬を曳き始めた。九段の急坂の上に立てば、眼下に八百八町の甍《いらか》が一望のもとである。

「いろいろございましたが、とにもかくにも貧乏神の務めは果たしおえました。伊勢屋も店じまいということで了簡《りょうけん》下さいまし。有難うございました」

「またのお越し、などとは言うなよ」

「はい、そこまで申しませぬ。申しませぬが別所様。実は手前から言うておきたいことが山とござって」

「何だよ。その山とやらはさんざ申したのではないのか」

「いえいえ、肝心かなめのところは、まだ。これを口にするのはあまりにつろうて切のうて、ずっと言えずにおりました」

ざわざわと髪の根が締まった。

あえて問う勇気のないまま、彦四郎は九段坂を下り始めた。登りの荷車の尻《しり》を押す裸の人足が、ひどく幸福な人間に思えてならなかった。夕陽に倒されたおのが影を踏んで歩むうちに、背後から貧乏神の低い声が囁《ささや》きかけてきた。

「せんにも申し上げました通り、三巡稲荷と申すは向島の三囲《みめぐり》稲荷とは縁もゆかりもございません。あしからず」

「そんなことはどうでもいい。馬はわしが曳いて参るゆえ、さっさと消えろ」

「ところが、肝心かなめの話の終わらぬうちに消えるわけには参りませんので。いえ、消えたって構やしないんですが、それじゃあおまえ様があんまりお気の毒だ」

心の臓がごとごとと鳴り始めた。神様なるものは、もっとさっぱりした気性かと思うていたが、どうやら餅《もち》をついたようにべっとりとしているらしい。

「あのな、伊勢屋さんよ。果報の小出しなら楽しくもござるが、悪い話に気を持たせるのはやめてくれまいか。わしはみてくれほど豪気な侍ではないのだ」

「はい、かしこまりました。三巡稲荷と申すは、向島の三囲稲荷とは縁もゆかりもございません。あしからず」

「怒るぞ。話はさっさとせい」

「ですからさっさとしておりますんで。読んで字のごとく三囲さんは三つの囲い、手前どもの三巡は――」

みなまで聞かずに、彦四郎は目を剝《む》いた。

「おぬし、よもやとは思うが、読んで字のごとく三度めぐり来たる、などとはまちがっても申すなよ」

するとと伊勢屋は実に言いづらそうに、「へい、そのよもやでございます」と言った。

「三巡稲荷の霊験のあらたかさ、というより怖《おそ》ろしさと申しますのは、まず貧乏神が顕《あらわ》れて一文なしにいたしましてな」

彦四郎は力いっぱい手綱を曳いて早足になった。しかし貧乏神の低い声は、遁《のが》れようもなく耳元に迫った。

「次に、たちまちもう一柱の神が顕れるのでございますよ」

「な、なんだ、そのもう一柱の神とは」

「そりゃあ、別所様。ちょいとお考えになったってわかりそうなものでございましょう。貧乏神のあとといえば、厄病神《やくびょうがみ》でございますよ。で、その厄病神が憑いて七転八倒《しちてんばっとう》していただいたあとは――まあ、その話はよしにしておきましょうか。あんまりお気の毒だ」

陽は急激に昏《く》れた。俎橋《まないたばし》の上を行きから人々がみな魂のない木偶《でく》のように見えてならなかった。

「つまり、無一文になった井上軍兵衛に、間髪を入れず厄病神がとり憑くと申すか」

「あらら」と、伊勢屋は呆《あき》れ声をあげた。

「それじゃあ商いの道理にはずれます。格別の扱いで宿替えいたしましたのは手前だけでございますから、次なる厄病神がとり憑くのはやっぱりおまえ様だ」

たまらぬ。井上軍兵衛の泣きつらに蜂というのも気の毒だが、わが身と思えばましてやたまらぬ。

「ははっ、そうは言うても、あいにくわしは子供の時分からの医者いらずでの。風邪《かぜ》もひかず腹もこわさぬ頑健な体だわい」

「ははは、そんなことは何の自慢にもなりゃしません。厄病神というたらおまえ様、手前なんぞが束になってかかってもかなわぬ凄腕《すごうで》の神でござってくの。いかに頑健な体であろうと、またどれほど旨《うま》いものを食い、清らかな暮しぶりの者であろうと、あの神に憑かれれば七転八倒すること疑いなしなのだ」

「いやだっ」

「いやも応もございませんよ。そういう定《き》めごとなんでございますから。手前も出しなにちょいと打ち合わせをして参りましたがの、厄病神は昨年の夏には、大坂ご滞陣中の公方様《くぼうさま》にとり憑き奉り、また暮には畏《おそ》れ多くも京の都におわします天朝様に憑き奉りましてな、大仕事を二つもなした後ゆえ、力があり余って仕方がないと申しておりました。まあ、滋養も申し分なく、お暮しぶりも十全のうえに万全であるはずの天朝様や公方様が、あのような次第となったわけでございますから、いかに医者いらずの頑健な体じゃなどと嘯《うそぶ》いたところで、おまえ様などひとたまりもございますまい」

彦四郎は俎橋の上から濠に向かって、たまらずに腹の中のものを吐き出した。むろん病のせいではない。恐怖が胃の腑《ふ》をちぢみ上がらせたのだった。

たしかに昭徳院家茂《しょうとくいんいえもち》公が、長州征伐の滞陣中に大坂城で病を得られ、わずか二十一歳を一期《いちご》として亡《な》くなられたのは昨年の七月であった。そしてまるで後を追われるかのように、その暮には孝明帝が崩御なされた。

若き将軍と天皇を弑《しい》し奉った厄病神が、おのれのところにやってくる。人の命ばかりではなく、公武合体の悲願すら粉々に打ち砕いた荒ぶる神である。

「わしは、どうすればよいのだ。どうなってしまうのだ」

「どうしようもございません。また、どうなるもなにも、なるようにしかなりゃしません。手前ども神の力の前では、人間なんて虫けらみたいなものでございます。よろしゅうございますか、別所様。とにもかくにも三巡稲荷の祠に手を合わせたおまえ様が悪い。お気の毒だが、手前はこれにて店じまいとさせていただきます。有難うございました」

深々と頭を下げると、伊勢屋の姿はおとなしい馬ばかりを残して、俎橋の上にかき消えてしまった。

八

慶応三年丁卯《ひのとう》の夏はひどい暑さであったが、小名木《おなぎ》川の堤を殆《あやう》くする大雨のあとで、突然の秋が来た。

土地の低い亀戸《かめいど》や柳島のあたりは一晩で堤が切れ、町家はおろか津軽越中守《えっちゅうのかみ》や佐竹右京太夫《うきょうのだいぶ》の下屋敷までが、縁の下まで水に浸《つか》った。天神様の池から流れ出た亀を見つけた者は、一匹につき一両の褒美《ほうび》が貰《もら》えるという根も葉もない噂《うわさ》が飛び、人々はおのれの災難もそっちのけで泥の中を這《は》い回った。

小名木川が切れずにすんだのは、力士の手柄である。

たまたま両国の回向院《えこういん》で催される秋場所の本稽古《ほんげいこ》に入っていた力士たちが、大挙して二ツ目橋を押し渡り、駆けつけてくれたのであった。力士たちの一方は、高橋《たかばし》の橋脚に引っかかって堰《せき》となっていた小舟や流木をわが身も顧ずに押し流し、また一方は砂利の詰まった叺《かます》を土手に積み上げて水を防いでくれた。

小名木川の両岸には大名の下屋敷が並んでいる。おそらくはそれら大名のお抱え力士の誰かしらが音頭をとったのであろうが、だとすると御徒士《おかち》屋敷は思いがけぬ冥加《みょうが》を蒙《こうむ》ったことになる。そのあたり、すなわち件《くだん》の三巡稲荷《みめぐりいなり》のある御徒士屋敷の裏土手は、大名屋敷の石垣より一段低くなっているので、何はさておきそこに叺を積み上げねば一帯の浸水は防げなかったからである。もし強力《ごうりき》の相撲《すもう》取りたちが豪雨の中を褌《ふんどし》一丁で駆けつけてくれなければ、古い御徒士屋敷などひとたまりもなく、きれいさっぱり大川まで流されていたはずであった。

ところで、この晩には呆れて物も言えぬ椿事《ちんじ》があった。

力士たちとともに、御徒士屋敷の人々が総出で水を防いでいたそのころ、兄の左兵衛が女房子供だけを連れて川向こうの霊巌寺に逃げたのである。しかも身ひとつ、先祖の位牌《いはい》どころか老母までも、うっちゃったまま逃げたというのだから始末におえぬ。

混乱のさなかに、「もうだめだ、逃げるぞ」という兄の声は聞いた。殆かったのはたしかだが、同輩がみな力を併せ、他人様《ひとさま》までもが力を尽くしているときに家を捨てて逃げるなど、彦四郎《ひこしろう》には考えも及ばなかった。

夜が明けてひとまず危険が去り、人々が泥まみれでくたびれ果てているところに、女房子供を連れた兄がぬけぬけと帰ってきたのである。

そのときは余りのことに、日ごろ口やかましい御組頭ですら一言も文句を言わなかった。

「おい、彦四郎。よもやとは思うが、汝《うぬ》が兄者はどさくさまぎれに逃げておったのではあるまいな」

彦四郎には返す言葉もなかった。御組頭の片山伊左衛門《いざえもん》は五十を過ぎた老役である。その人が味噌樽《みそだる》から這《は》い出たような泥まみれになり、路地に尻をついて炊《た》き出しの握り飯を食っているというのに、兄とその妻子だけが何ごともなかったかのように目の前をそそくさと通り過ぎて、難を逃れた屋敷に入っていった。

「面目ございませぬ。わが兄は生来、気の弱いたちでござって」

「気の強い弱いではなかろう。年老いた母者までもが、夜っぴいて水を掻《か》いておられたではないか。不孝にもほどがあろう」

「この不始末は拙者からよう言うて聞かせますゆえ、何とぞよしなに」

「わしが何も言わんでも、組付の者どもはどうかわからぬぞ。見てみい、誰も彼も呆れ果てておるわ」

あちこちに蹲《うずくま》って握り飯を頬張《ほおば》る御徒士たちが、彦四郎に胡乱《うろん》なまなざしを向けていた。襷《たすき》がけの母は、握り飯の入った岡持を提げたまま、女房どもに頭を下げている。いったいどういう言い訳をしているのかと思えば、彦四郎の胸は痛んだ。

大雨の過ぎた深川の空には、ふいに秋がきていた。

「汝ら兄弟の父上は、誰しもが尊敬する立派な徒士侍であったゆえ、左兵衛には多少の遠慮をしておるのだ。わしも同輩どもも、みな少なからず父上の世話にはなっておるからの」

「いよいよ面目次第もございませぬ」

汝に詫《わ》びられても仕方がないというふうに、伊左衛門は切ない溜息《ためいき》をついた。

「汝は父上にうりふたつじゃ。顔かたちも物腰も、昨夜の働きぶりなどは、父上が冥《めい》府《ふ》から戻ってわれらに加担しているかと思えたほどだ。もし兄弟の順が逆であったのなら、組頭のわしもどれほど心強いことか」

彦四郎は何とかして、兄の立場を護《まも》らねばならなかった。自分の働きぶりとどう較《くら》べられようが、別所家の当主は兄なのである。そのような比較をされたのでは、婿《むこ》入《い》り先から出戻ったおのれが、生れ育った別所の家に災いをもたらすようなものであった。

「しかし御組頭様。兄は拙者などとはちごうて、手先がめっぽう器用なうえ、細かなことに気配りのできる気性にござるゆえ、御蔵物の手入れなどはまさに適役でございます。御影鎧《おかげよろい》三十領のお始末なぞ、不器用で横着者の拙者にはとうてい務まりませぬ」

すると伊左衛門は、あたりを憚《はばか》るようにして彦四郎の袖《そで》を引き寄せた。

「この際ゆえ言うておくがの。実はその御役目に、少々難儀が生じておる」

「何と。兄が何か粗相をいたしましたか」

「わしは、御徒頭《おかちがしら》様より再三にわたって文句を言われておるのだ」

御徒頭はこの御組頭の上司だが、千石取りの御旗本であるからまさに雲上人である。二十組六百人の侍大将の懸念《けねん》がわが兄の仕事ぶりだとすると、ことは穏やかではない。

「春と秋の御蔵検《あらた》めの折にの、御具足奉行様が必ず御徒頭様に申されるそうじゃ。紅葉山《もみじやま》の御蔵内にござる御影鎧は、どれもこれも埃《ほこり》まみれの錆《さび》だらけ、いざというときに御徒士が着ても、あのざまではとうてい上様の影武者など務まらぬ、とな」

合戦の折に、当番の御徒士衆三十人が将軍とそっくり同じ鎧兜《よろいかぶと》を着て影武者となるのは、権現《ごんげん》様のお定めであった。別所家代々の御役は、その影鎧一切の管理である。

「のう、彦四郎。汝は兄の左兵衛をかぼうて、手先が器用の気配りがよいのと申すが、実はそうではあるまい。あれは誰がどう見たところで、不器用な横着者だ。ちがうか」

「そのようなことはございませぬ。兄は幼いころより父から武具手入れの技を習うておりますれば、けっしてそのような――」

「父上は早うに亡くなられた。御役の心構えまで、左兵衛が伝授されたとは思えぬ。わしはわしなりに亡き父上の朋輩《ほうばい》として左兵衛めをかぼうて参ったがの、このご時世ではいつなんどき合戦が始まるやもしれぬ。若年寄様のお目にでも触れようものなら、切腹を申しつけられても文句は言えぬぞ。さような大事に至らぬ前に、御役替えをせねばと考えておるのだ」

「しばらく、その儀はしばらく」

と、彦四郎は懇願した。

紅葉山の御蔵役は、別所家の矜《ほこ》りであった。諸事雑用の御徒士の中にあって、別所家はその御役目ゆえに誰からも一目置かれているのである。たとえば彦四郎が家格のちがう井上家の養子として迎えられたのも、「紅葉山御蔵役」の名誉に負うところが大きかった。

父も祖父も、歴代の祖宗の誰もが、太平の世にあってその御役を果たし続けてきたのである。

「わが別所家の祖は、去る元和《げんな》の大坂夏の陣において、畏《かしこ》くも権現様の影武者を相務めました。その折に、わが祖は御本陣に攻め寄せた真田《さなだ》幸村《ゆきむら》の軍勢と戦い、権現様の身替りとなってみごと討死いたしました。権現様はその手柄をことのほか嘉《よみ》せられて、別所家に御影鎧役を賜わったのでございます。さなる由緒《ゆいしょ》正しき御役を取り上げられたのでは、兄も拙者も、父祖の霊に会わする顔がございませぬ。その儀ばかりは、なにとぞ、なにとぞ」

彦四郎は泥まみれの頭《こうべ》を垂れた。声は聞こえているのであろう、御徒士たちの憐《あわれ》むまなざしが彦四郎の背に刺さった。

おのれが頭を下げれば下げるほど、兄を貶《おとし》めていることに彦四郎は気付いた。しかし、この御役替えばかりは、何としてでも避けねばならなかった。

「そうは言うても、彦四郎よ。もし万が一、お務め不行届きで左兵衛が切腹とでもなれば、御役替えどころか別所の家がのうなるぞ。むろん、わしはもとより、御徒頭様にまで累《るい》が及ばぬとも限らぬではないか。御役の由緒はわしも御父上から聞いておるがの、一家の存亡にかかわるとあらば、権現様もご先祖様もお許し下さるであろうよ。のう、御役替えということで了簡《りょうけん》せい」

片山伊左衛門は、今の今まで御役替えの決断をしかねていたのであろう。その決心をさせてしまったのは、ほかならぬ兄自身の、大水に背を向けて逃げたあからさまな怯懦《きょうだ》にちがいなかった。

「兄には、拙者からよう言うて聞かせまする。どうかその儀ばかりは」

伊左衛門が亡き父の朋友《ほうゆう》として、別所家の名誉と体面とを考えあぐねているのは明らかであった。彦四郎を見やる老いた表情は、けっして上司の顔ではない。

「彦四郎よお」

と、伊左衛門は俯《うつむ》いて愛《いと》しげに彦四郎の名を呼んだ。

「汝の不運はよ、組内の誰もが嘆いているぞ。おまえはどう思うているか知らぬが、出戻りの部屋住みのと、後ろ指をさす者などひとりもおらぬわ。本当ならおまえは、三味線堀の榎本釜次郎《かまじろう》と一緒に外国にでも行って、末は御奉行役にまで立身したところで何のふしぎもない。まったく、神仏も何をお考えやら、そのおまえにこんな不運を見舞うたうえ、あの出来そこないの左兵衛に大切な御影鎧の番などさせおって。これほどの理不尽な話が世の中のどこにある」

組頭や御徒士たちが、自分のことをそんなふうに評価してくれているのは有難いが、まさか喜ぶわけにはいかなかった。おのれの評判など今さらどうでもよい。

「拙者がきっと、兄の行いを改めさせます。御役替えの儀は、今しばらく」

「組頭のわしがくどくど言うても改まらぬものが、弟の説諭を聞くとも思えぬがの。しばらくとはいうても長くは待てぬぞ。じきにまた御蔵改めがござるによってな」

片山伊左衛門は彦四郎の肩を力付けるように揺すって立ち上がった。

たしかに兄が説諭に耳を貸すとは思えぬ。気が弱いくせに手前勝手なわがまま者であることは、よく承知している。しかし彦四郎は別所の血を享《う》けた侍として、この危急を何とかせねばならなかった。

もし御組頭がその件を口にすれば、兄はさして物も考えずに御役を明け渡すにちがいなかった。いったいに兄の左兵衛は、気弱だの怠け者だのわがままだのという以前に、一家の当主としての自覚を欠いている。母も位牌もうっちゃって逃げた兄が、面倒な御役にこだわるはずはなかった。

さて、どうする。

彦四郎は食いかけの握り飯を口に詰めこんで、きっぱりと豁《ひら》けた秋空を見上げた。

九

その晩の高橋の袂《たもと》は大賑《にぎ》わいとなった。

浸水を免れた大名屋敷の門前に薦被《こもかぶ》りの四斗樽が引き出されたうえ、屋台の払いも小笠原佐渡守と太田備中守《びっちゅうのかみ》の奢《おご》りだそうな。何でも大勢の力士を率いて駆けつけたのは、両家の抱え力士である幕内の鹿ヶ谷《ししがたに》と錦岩《にしきいわ》であったらしい。

近在の武士町人に混じって、大兵《たいひょう》の相撲取りが大いに飲みかつ食うているのだから、あたりはまるで川開きか天下祭の騒ぎである。

「ふむふむ。で、左兵衛様は聞き分けなすったかい」

二八蕎麦《そば》を売り切ってしまった親爺《おやじ》は、煙管《きせる》に火を入れながら彦四郎に訊《たず》ねた。

「話にもなりはせぬ。そもそも鎧番などは性に合わん、御役替えなら望むところだときたもんだ」

「埒《らち》もねえ」と、親爺は煙とともに溜息をついた。

「ま、さもありなんてえところだ。ともかく彦さんの家は、兄弟が生まれる順序をとっちげえた。おめえさんが惣領《そうりよう》なら万々歳だったんだがな」

「しかし、このまま秋の御蔵改めとなれば、何がどうなるかわかったものではない。うまい知恵はないか」

「そりゃあ彦さん、片山様のおっしゃる通りに御役替えをしていただくほかはありますめえ」

「それができるくらいなら、はなから苦労はせぬ。紅葉山の御蔵役という格別の職があったればこそ、あの兄でもさほど御同輩から虚仮《こけ》にされずにすんでいるのだ。ここだけの話だがの、御蔵役なら御影鎧の番をしているだけでいいが、ほかの諸事雑用など申しつけられようものなら、それこそ兄は何かひどいまちがいをしでかすにきまっている」

「なるほど。にっちもさっちもいかねえな。御役にとどまれば切腹、御役替えでもいずれは切腹か」

「つらい言い方をするなよ。つまり、ご先祖様から伝えられた御役も大切だが、そうした大義はともかくとしても、この御役替えには兄の命と別所の家の存亡がかかっているということだ。ああ、まったくにっちもさっちもゆかぬわい」

「やれやれ。おまえさんもつくづく苦労なお人だの。一難去ったと思やまた一難か」

貧乏神の顚末《てんまつ》は包み隠さず話してあった。ともかくも秘密を分かち合える人がいるというのは有難い。もしこの親爺と村田小文吾《こぶんご》がいなかったら、自分はとうに気が狂っているのではなかろうかと思う。

「待てよ、彦さん」

と、親爺はあたりの喧噪《けんそう》を見やりながら物思うふうをし、干からびた股《また》をぽんと叩《たた》いた。

「厄病神《やくびょうがみ》だ」

「何だい、いきなり。忘れていたことを思い出させてくれるなよ」

「だからよ、彦さん。おまえさんはいずれ近いうちに、その厄病神にとり憑《つ》かれることになってるんだろう」

「やめてくれ。まだ来てはおらぬ。来るな来るなと、毎朝ご先祖様の位牌に手を合わせているところだ」

「いや、この際だから来てもらうがいいさ。そんで、もういっぺん宿替えをお願いすりゃあ、万事が丸くおさまる」

「おいおい、いくら何だって貧乏神のせいで無一文になったうえ、お家断絶の御沙汰《おさた》があるやもしれぬ井上軍兵衛に、厄病神まで振るなどと――」

そこまで言って、彦四郎の息は詰まった。

見交わした親爺の目は真剣である。彦四郎は茶碗《ちゃわん》酒をぐいと呷《あお》り、飲み下せずに激しく咳《しわぶ》いた。親爺の手が、いささかの冗談もなく彦四郎の背をさすった。

「のう、彦さん。俺もこの齢《とし》になるまで、人に言えねえ苦労はさんざんしてきたがよ。いつだって神仏のお定めだと思や、了簡して呑《の》みこむほかはなかったんだぜ。貧乏をしたのも、女房子供に先立たれたのも、みんな悪い神さんの仕業なら文句も言えめえ。したっけ、その悪い神さんが目の前に現われてだな、格別の扱いまでして下さるてえのは、おまえさんがよほど不憫《ふびん》だからさ。貧乏神が不憫に思うんなら、きっと厄病神だってご裁量は同しだろうよ。甘えちまいな。悪いことは言わねえから、厄病神を左兵衛様に振っちまえ」

咳《せ》きこみながら彦四郎は考えた。

仮に厄病神が自分にとり憑き、格別の扱いが一度ならず二度まで許されたとする。兄が重い病の床につけば、甥《おい》はとうてい家督を継ぐ齢ではないから、とりあえずは彦四郎が御蔵役に出役することとなるであろう。いやだというても、御組頭はそう命ずるに決まっている。

いったい何の不都合がある。それで別所の家は安泰、ご先祖様もきっと喜んで下さる。けっしておのれの欲得ではない。それで万事がうまく行くのだ。

「しかし親爺。あの伊勢屋は、よほど無理をしたらしい。宿替えの扱いは格別のうえにも特別、例外中の例外じゃと恩着せがましく言うておった。はたしてそのような無理を、邪神ともあろう者が二度も聞くであろうか」

「そりゃあ、邪神といったって相手は神さんだ。拝んで拝んで拝み倒すしか手はありますめえ。いいかね、これァ借金取りの物の例えじゃねえんだ。頼むんじゃなくって拝むんだよ。拝まれるのが商売なんだから、しめえにはうんと言うほかはねえだろう」

さんざ貧乏をしたうえ女房子供に先立たれた親爺は、さすがに苦労人である。ままならぬ人生だが、そのうちには拝み倒して蒙《こうむ》った冥加《みょうが》も、一度ならずあったのであろう。

神仏から見れば虫けらの勇気でも、この際もういちどふるってみようと彦四郎は思った。

「ところで親爺。わしはどれくらい飲んだかな」

「どれくらいも何も、蕎麦を一杯食って、その茶碗酒を半分だ」

どうも先ほどから、常ならぬ寒気を感ずるのである。蕎麦も酒も味がわからなかった。昨夜は泥まみれの大働きをし、日の高くなるまでぐっすりと眠った。それでも疲れは取れなかったらしい。

「着替えもせずに寝たからな。風邪《かぜ》でもひいたか」

「どおれ」と、親爺は彦四郎の額に手を当てたとたん、嫌なことを言った。

「こいつァひでえ熱だ。たかだかの風邪《かざ》っぴきじゃあ、こうまではなるめえ。よかったな、彦さん。いいかえ、誰がどう出るかはわからねえが、拝んで拝んで拝み倒すんだぜ」

よしあしがわからぬ。はたして厄病神の出来《しゅったい》が良いことなのか悪いことなのか、例えていうなら合戦に臨む心境であった。

親爺はとりあえず、桶《おけ》の水で冷やした手拭《てぬぐい》を彦四郎の月代《さかやき》に載せてくれた。秋の夜寒がひしひしと身にしみる。総身に鳥肌が立って、石でも担《かつ》いだように体が重くなった。

「とうてい我慢が利《き》かぬわい。帰って寝るとしよう」

立ち上がろうとして腰が抜け、彦四郎は酒樽《さかだる》から転げ落ちた。何とも急激な病状である。大名屋敷の門前に焚《た》かれた篝《かがり》が、宙を舞って見えるほどに目が回る。

「いかん、これはひどい。たしかにただの風邪っぴきではないぞ。帰ろうにも足腰が立たぬわ」

親爺はあわてて彦四郎を抱き起こした。

「しっかりしろ、彦さん。死んじゃならねえぞ。おおい、力士衆、どなたかこのお人を御徒士《おかち》屋敷までおぶってってくれ」

親爺の声は屋台に群れる酔客の騒ぎにかき消されてしまった。仮に誰が気付いたところで、この大賑わいの中では酔いつぶれた侍としか見えまい。

「ふん。力士に背負われて帰るなどと、みっともない真似《まね》ができるか。這《は》ってでも帰るわい」

と、彦四郎がようやくよろめき立ったときである。

芝翫縞《しかんじま》の派手な浴衣《ゆかた》を着た巨漢の力士が、ぬっと目の前に立ちはだかった。身の丈は六尺、目方は優に三十貫を超すであろう。色白できりりと引き締まった顔は、日《ひ》の下開山《したかいざん》天下無双の大横綱、小野川の錦絵を髣髴《ほうふつ》させた。烏《からす》の濡《ぬ》れ羽色《ばいろ》の大銀杏《おおいちょう》を、乱れ毛の一筋もなく結い上げているところをみると、これは立派な関取であろう。

「難儀でごんすな。わしがお連れもっす」

激しい稽古《けいこ》で潰《つぶ》れた咽《のど》をわななかせるように、力士はかすれた低い声を絞った。

　まさか、とは思う。

　だがこの突然の顕現は、伊勢屋の登場の間《ま》に似ていた。それに、重ねてまさかとは思うが、貧乏神が大店《おおだな》の主人ならば厄病神が巨漢の力士というのも、さもありなんという気がする。

「かたじけのうござる。酔うたのではなく、急な病にて腰が抜けてしもうた」

　よほど「おぬしは厄病神か」と訊《き》こうとしたが、もし善意の人であれば無礼であろうと思い直し、怖《おそ》る怖るそう言った。

　力士は無言である。大銀杏に似合う切れ長の目を細めて、じっと品定めでもするように彦四郎を見つめ続けていた。

「拙者、近在の御徒士屋敷に住まう、別所彦四郎と申します」

　力士は士分ではないが、もし大名家お抱えの関取であれば、それなりの礼儀を尽くさねばならなかった。

　まるで土俵上の睨《にら》み合いのようにしばらく彦四郎を見つめたあとで、力士は潰れた声で言った。

「九頭龍為五郎《くずりゅうためごろう》でごんす」

　聞き憶《おぼ》えのない醜名《しこな》である。少くとも名のある関取ではない。しかし九頭龍と称する力士は、向こう屋台でさかんに気勢を上げている幕内の鹿ヶ谷や錦岩よりも、よほど貫禄《かんろく》は上であった。

「九頭龍とは、九頭龍川の九頭龍でござるか」

「おお。いかにも」

「だとすると、越前《えちぜん》松平侯のお抱えでござるかの」

「おお。いかにも」

親爺が「ごめんなさいよ」と声をかけて、彦四郎を立柳の枝の下に引きこんだ。

「まちげえねえぞ、彦さん。ありゃあ厄病神だ」

「なぜわかる」

「俺ァ自慢じゃねえが相撲にァちょいとうるせえ。春秋の本場所十日は、店も畳んで回向院《えこういん》の追い込み席にかじりついてるのは、おまえさんだって承知だろう。いいかえ、あの貫禄はどう見たって横綱大関だが、どっこい九頭龍なんて力士は、幕内どころか幕下から序ノ口にまでいやしねえ。そのいねえはずの力士がここにいるんだ」

「だが、越前侯のお抱えというたぞ」

「おまえさんが言わしただけじゃねえか。ところで、どうして越前様なんだね」

「九頭龍川といえば、越前を流れる川だからの。お抱え主にあやかって醜名を付けるのは、よくあることだ」

言ってしまってから、彦四郎は「九頭龍」という字を頭に思い描いてひやりとした。九つの頭を持つ竜のいわれは知らぬが、九尾《きゅうび》の狐ならば稲荷の化身だ。なるほど、正体をもじって付けた醜名とも思える。

「いいか、彦さん。拝み倒すんだぜ」

「何だか相手が悪い気がするが」

「土俵に上がる前から弱気になってどうする。寄り倒すんじゃねえぞ、拝み倒すんだ」

「あいわかった。勝負はどうかわからぬが、けっして気負けはせぬ」

「その意気だ。あの雷電《らいでん》だって十ぺんも負けてるんだから、番狂わせなんて珍しいことじゃねえ。頑張れ、彦さん」

振り返ると、九頭龍は戸板のように広い背中を向けて屈《かが》みこんでいた。

「お送りいたします。どうぞ」

「では、お頼み申す」

彦四郎は力士の背に倒れかかった。とたんに体の底から熱が湧《わ》いて、気が遠くなった。

ゆったりと、まるで舟が漕《こ》ぎ出るように力士は歩き出した。六尺の高みである。群れ集う人々の頭は、みな目の下にあった。

「九頭龍関――」

うつらうつらと熱に酔いながら、彦四郎は大きな背に語りかけた。

「わしは、この病で死ぬるのか」

頰を預けた肉の奥から、嗄《しわが》れた太い声が伝ってきた。

「死にはせぬ。命を奪うはほかの神の仕事でごんす」

「ならば、どうなるのだ」

「病にてとことん苦しみもっす」

「だから、どう苦しむのだ」

「熱は下がらず、糞《くそ》小便の垂れ流し、枯芒《かれすすき》のごとく瘦《や》せ衰えて、手足の先から少しずつ腐れ落ちてゆくのでごんす。それでも死なぬから、痛い苦しいつらい切ない」

「いやだっ」

「いやも応も、わしらに手を合わせたおまえ様が悪い」

大名屋敷の甍《いらか》の上を、いくらか円《まどい》を欠いた月が、狙《ねら》い定むるように彦四郎を追ってきた。怖れてはならぬ。寄り倒すのではなく、拝み倒すのだ。

「のう、厄病神さんよ」

「そういう呼び方はやめてくれ。人聞きが悪い」

「そしたら、九頭龍関さんよ。わしの断《た》っての願いを聞いて下さるか」

「もはや足腰も立たぬ者の、断っての願いとは、はは、おかしい」

「冗談はなりだけにせい。そこで断っての願いだが、何とかこの不幸の宿替えはできぬものかね」

ためらうのも面倒なので、ごくあっさりと願いごとを口にしたとたん、九頭龍は巨体を揺るがせて立ち止まった。

「宿替えだと。これは面妖《めんよう》な。おまえ様、どうしてそのような秘法中の秘法を知っているのだ」

「知っているも何も、その手をいちど使って家を一軒滅ぼした」

「何と、怖ろしいやつめ」

浴衣ごしの九頭龍の肌が、怒りで震え始めた。このまま仏壇返しに放り投げられそうな気がしたが、彦四郎はもう身じろぎもできぬほど弱り切っていた。

言うべきではなかったのであろうか。貧乏神は彦四郎を不憫に思うて、無理を通してくれたのである。

「くそ。貧乏神のやつめ、事情はあれこれと説明しおったが、肝心なことを申し送らなかったか。よりにもよってこんな徒士侍なんぞに、百年にいっぺん使うかどうかの格別扱いをするとは、まったく仕事のできぬやつだ」

だめか、と彦四郎はいっそう力を抜いた。もはや骨も肉も腐り始めているかと思うほどの憔悴《しょうすい》であった。

頼むのではない。拝むのだ。

蕎麦《そば》屋の親爺《おやじ》の言うていたことがようやくわかった。ああせいこうせいと頼むのは人間同士のことで、神仏がそのように都合のよい願いを受け入れるはずはなかった。私欲のあるところ、神仏の冥加が下されるはずはあるまい。

ただ拝むのだ。

「わしは、わが父をよう知りませぬ。しかし父を知る人は誰もが、よき人であったよき侍であったと申しまする。わが祖父もまた、立派な武士でござった。しからばその父もまたその父も、わずか七十俵五人扶持《ぶち》の御徒士ながら、おのが本分を全《まっと》うしたよき侍であったにちがいござらぬ。わしは、権現《ごんげん》様のおそばに仕えた昔から、御影鎧《おかげよろい》の三十領を護《まも》り続けた別所の家を、兄の代にて滅したくはない。ただただその一念にて、けっしてこの身を惜しむわけではござらぬ。もし神仏の冥加によって別所の家がこの先も立ち行くのであれば、わが身は無間地獄の業火《ごうか》に焼かれてもかまいませぬ。どうかどうか、この願いをお聞き届け下され。病をわが兄に振り、わが力にて父祖代々の御役を全うさせて下さりませ。伏して拝み奉《たてまつ》りまする」

彦四郎は唸《うな》り声を上げながら、力の抜けた両の手を胸元に引き寄せ、厄病神の大きな背に向けて固く合掌した。

いったい何を思うのやら、九頭龍は辻闇《つじやみ》に長いこと佇《たたず》んで、侍を背に負うた力士の異形の影を草履《ぞうり》の爪先《つまさき》で踏んでいた。

「おまえ様のお家の事情など、わしにはかかわりのないことでごんす」

やはりだめか、と思ったとたん満身の力が抜け落ちて、彦四郎は気を喪《うしな》った。

十

触れ太鼓の音で彦四郎は目覚めた。

熱は引いたようである。手足を伸び縮みさせてみたが、常に変わらぬ力が漲《みなぎ》っていた。

先日のこともあるので、昨夜の一件が夢であるとは思わなかった。だとすると——彦四郎は寝床からはね起きた。

「まあまあ、ゆうべはへべれけに酔い潰れたあげく、力士に背負われて帰るとは、呆《あき》れて物も言えませぬぞえ」

庭先の菊に水をくれながら、母は彦四郎に微笑《ほほえ》みかけた。

「それにしても、たいそうな貫禄の力士でございましたのう。おまえを座敷に担《かつ》ぎ上げたとき、そこの鴨居《かもい》にしこたまおつむをぶつけましてな。水を含んだ床板など、今にも踏み抜かんばかりに撓《しな》っておりましたぞえ。おなごは相撲など見ることができませぬが、あれは谷風や小野川のような横綱でございましょう」

「さあ、よくは存じませぬ」

と、彦四郎は空とぼけた。

ともかくこれで昨夜の出来事が夢ではなく、だとすると彦四郎がみごと九頭龍を拝み倒しに破ったのは明らかとなった。まさしく番狂わせである。彦四郎の胸の土俵に座蒲団《ざぶとん》が乱れ飛んだ。

「あの、兄上は」

おそるおそる訊《たず》ねてみた。

「おお。昨日おまえにもっともな意見をされたのがよほど応《こた》えたとみえてな、朝から熱が出たと申して起きてこぬ。おそらくは臍《へそ》を曲げているだけであろう。おまえが見舞いに行って、言い過ぎましたご勘弁と頭を下げればじきにようなる。ささ、そうしてやってたもれ」

仮病であろうはずはなかった。彦四郎は身繕いをしながら、おのれのなしたることの是非について考えた。

怪力乱神の類《たぐ》いと格闘しているのではないと思った。これは別所彦四郎という一人の侍の、存在をかけた合戦だ。

幼いころより学問に勤《いそし》み、武芸を修めた努力精進はけっして人後に落ちぬ。三味線堀の榎本釜次郎に、おのれが劣っているとも思えなかった。

たまさか方途を見失っていたところに、願ってもない合戦の機会が訪れた。おそらく、神たる者に正邪などないのであろう。機会を与うる者、すなわち神である。むしろ真に邪《よこし》まなる者は、おのれから愛する妻子を奪った井上軍兵衛であり、その愚かさによって家を滅さんとする兄にちがいない。したがって、これは不仁をなす行いではなく、義のための戦だ。

もしや不仁かと思うた心の戸惑いは、実に殆《あやう》かった。なぜなら軍兵衛に対する思い、兄に対する思いは仁などではなく、情にすぎなかったから。自分は武士としてあるまじき情を仁と錯誤し、義も忠も孝もそうと気付かずに踏みにじるところであった。

これは合戦だと、彦四郎は今いちどおのれに言い聞かせた。

兄は脂汗《あぶらあせ》を流しながら、奥居の床に仰向いていた。

「いかがなされましたか、兄上」

額に手を当てると、炎のような熱さである。とろとろとまどろみながら、兄は薄目を開けて彦四郎を見つめた。

「わしに万一のことがあったら、妻子を頼んだぞ」

まことに気弱な兄である。今からこのような心がけでは、やがて糞小便を垂れ流し、枯芒のごとく痩せ衰えて手足の先から少しずつ腐れ落ちてゆく間には、どれほど大騒ぎをすることであろうか。

気の毒ではあるけれど、これも別所の家の存亡を賭《と》した合戦の一諸相であると、彦四郎は心を鬼にした。

「心配ござらぬ。命は当分なくしませぬ」

兄は訝《いぶか》しげに彦四郎を見上げた。

「おまえ、医者でもないのになぜそのようなことが言えるのだ」

失言であった。とことん苦しませるのが厄病神の仕事なのであるから、とりあえず今のところは、どれほど苦しもうと命に別状はないのである。

枕元《まくらもと》に座る兄嫁も、さほど心配そうではなかった。さすがに女房は、蚊に食われても大騒ぎをする兄の気性は知り尽くしているらしい。弟としては、「これは大変な病なのですよ」と言うてやりたいところではあるが。

「きょうは相撲を見に行くのだと、楽しみにしておられましたのになあ」

まるで赤児でもあやすように夫の頭を撫《な》でながら、兄嫁は言った。

「そういえば先ほどから触れ太鼓が聞こえますすな。秋場所はまだ先のはずですが」

「おや、彦様はご存じなかったのかえ。もっとも大水騒ぎの昨日のきょうゆえ、のんびり相撲見物だなどとは口がさけても言えますまい」

ああ、と兄が切なげな息をついた。

「行きたい、行きたい。きょうは陣幕の引退興行じゃ。秋場所はともかく、贔屓《ひいき》力士の花道を見られぬとは口惜しい。戸板に乗ってでも行きたい」

「なりませぬ」

駄々を捏《こ》ねる兄の額を、兄嫁がぴしゃりと叩《たた》いた。

いったいこの兄の頭の中はどうなっているのであろう。もしかしたら脳味噌《のうみそ》の一匁《もんめ》もなくて、がらんどうの空気が詰まっているのかもしれぬと彦四郎は疑った。

まさに昨日のきょうである。怯懦《きょうだ》を責むる同輩たちの譏《そし》りにも、いっさい気付いていないのであろうか。百歩譲って、それは生来の能天気のなせる業であるとしても、御役替えの事の重大さにすら関心がないのである。彦四郎の声涙ともに下る説諭になど、耳を貸さぬはずであった。

もし病を得なければ、うきうきと両国橋を渡って回向院《えこういん》の境内に出かけたのかと思うと、寝巻の襟《えり》を摑《つか》んで殴りつけたい気分になった。

「彦四郎、今ひとつ頼みがある」

兄は今にも息の上がりそうな細い声で言った。

「はいはい。万一のときは、姉様と子供らはお任せ下さい。今ひとつといえば、母上のことでございますな」

「ちがう」

妙にきっぱりと兄は言った。

「前売りの札を駄目にするのは勿体《もったい》ない。おまえ、わしのかわりに回向院に行って、陣幕の晴れ姿を見てきてくれ。わしは話だけで我慢するゆえ」

最低の侍である。要するに兄の頭の中には、大水も御役替えも老いた母も別所の家も何もなくて、横綱陣幕の最後の土俵入りしかないのであった。

心が自然と鬼になってしまった。こいつのあとから生まれたと思うだけでも、わが身が呪《のろ》わしくなった。

だが、怒ってはならぬ。いかなる罵声《ばせい》にも鉄拳《てっけん》にもまさる厄病神を、すでに振っているのだ。

相撲にはさほどの執心はないが、回向院に行けば九頭龍に会えるかもしれぬと彦四郎は思った。ともかくも無理を聞いてくれた九頭龍に、礼のひとつも言いたかった。

「ではお言葉に甘えて、陣幕の晴れ姿を見て参りましょう」

「よう見てきてくれよ。わしはあの力士が大の贔屓での。薩摩《さつま》藩お抱え力士、第十二代横綱陣幕久五郎。春場所までの成績は実に八十勝五敗十七分け、勝負預かりは三つ、得意技は――」

相鎚《あいづち》を打つのもばかばかしくなって、彦四郎は枕元を離れた。

一昨日の大雨で近在のあちこちが水に浸《つか》ったにもかかわらず、両国橋は人の波であった。

本所回向院の縁起は、そもそも明暦の大火における無縁仏を葬《ほうむ》ったことであるが、そんな昔の話を知る人は少ない。回向院といえばまず春秋の勧進相撲、次いでその石片を削って嚥《の》めば勝負事に敵なしといわれる、怪盗鼠小僧《ねずみこぞう》次郎吉の墓であろう。

春秋十日間の本場所が回向院境内での定打《じょうう》ちとなったのは、天保年間からであるという。力士たちが「一年を二十日で暮らすいい男」と言われる所以《ゆえん》である。

深川元町の御徒士屋敷からは、高橋の通りをまっすぐに行って二ツ目橋を渡ればよほど近道なのだが、やはり新大橋を渡って大川土手を歩き、また両国橋を渡らねば行った気分にはならぬ。

橋桁《はしげた》の軋《きし》みを危ぶみながら、群衆とともに九十六間の両国橋を渡り切れば、その先は見せ物小屋やら茶店やらが犇《ひし》めく江戸随一の盛り場である。

境内の裏手には、葦簀《よしず》囲いの巨大な小屋が聳《そび》えている。太鼓櫓《やぐら》の下の大札場にはすでに満員御礼の看板が掲げられているが、どっこいそのあたりには人相のよからぬ札《ダフ》屋どもが、買い占めた札を法外な値で売りさばいていた。

「さあ、買った買った。天下無双の横綱、陣幕久五郎の引退相撲を葦簀の外で声だけ聞こうなんて下衆《げす》はどこのどいつでえ。向こう正面の二階桟敷《にけえさじき》が一両二朱、正面の砂っかぶりは残り一枚、二両ぽっきりでどうでえ。なに、高え。だったら追い込みの尻《けつ》で我慢しねえ。お代《でえ》は内緒のご相談だ。いいかい、いかにご禁制の札屋だって、秋の本場所ならこんな無体《むてえ》は言わねえよ。陣幕の引退相撲をこの目で見たってえのは、孫子の代までの語りぐさにもなろうってもんさ。さあ、買った、買った」

ご禁制というわりには声が大きい。どうせ揚がりのうちのいくばくかは、町方の腐れ役人どもと、寺社奉行の懐《ふところ》に収まるのであろう。

秋空に翻《ひるがえ》る色とりどりの幟旗《のぼりばた》の中に、もしや「九頭龍為五郎」の名があるのではなかろうかと探したが、やはり見当たるはずはなかった。

積み上げられた祝樽《いわいだる》のてっぺんには、大水で打ち上げられたかと見紛《みまご》う張りぼての鯛《たい》が飾られている。相撲茶屋では小屋に入ることを許されぬ女どもが、力士たちの錦絵《にしきえ》を物色していた。

心は自然と浮き立つのだが、この人混みでは九頭龍に出会えるはずもなかった。

相撲通の噂話《うわさばなし》が彦四郎の耳に入った。

「しかしよう、陣幕は去年の秋に大関昇進で、横綱免許を貰《もら》ったとたんの引退だぜ。強さも人気も絶頂の今の今に、何だって辞めちまうんだい」

「そりゃあおめえ、お抱え主の薩摩様と、公方様《くぼうさま》の仲がうまくねえからよ。何でも薩摩は長州と手を結んで、徳川様の天下に取って代わろうてえ魂胆らしい」

「ひええ、そいつァ本当《マブ》かね。だったら江戸勧進相撲の横綱でもねえもんだの」

そういうこともあるやもしれぬ。とかく町人の噂話は、的を射ていることが多い。

軒を並べる相撲茶屋の端店の前で、彦四郎ははたと足を止めた。

まず目に飛びこんだのは、緋毛氈《ひもうせん》の縁台にちょこんと座って茶を啜《すす》る、市太郎の姿であった。そのかたわらには、町人の中にあってむしろ目立たぬ三筋の小紋を着た八重が、俯《うつむ》きかげんに腰を下ろしていた。

「あ。彦さん、会えた会えた。やはり会えた」

女房子供より先に、小文吾が駆け寄って彦四郎に抱きついた。

「何だ何だ。これはいったいどうしたことだ」

「あー、八重どのは火事で大変じゃが、彦さんは水に流されたかもしれぬとな。それでさっそく、親爺《おやじ》どのの目を盗んで深川まで参りましたのじゃ。あー、そしたら相撲に行ったと姉様が申されましたので、二ツ目橋から先回りして、ここで待っていたという次第。ああ、よかったよかった。水に流されておらぬばかりか、親子三人の逢瀬《おうせ》が叶《かの》うた。なむなむ」

八重は立ち上がると、涙ぐみながら頭を下げた。深川のあたりに水が出たという噂を聞いて、さぞ心配していたのであろう。

「市太郎、久しいのう」

たちまち駆け寄って抱きつくかと思いきや、どういうわけか市太郎は立ち上がろうともせずに、ぷいと横を向いてしまった。

「あ。彦さん、ちょっと」

小文吾が険しい目つきで、彦四郎の顔を招き寄せた。

「あー、実はの。市太郎様の様子がちとおかしいのだ」

「おかしい、とは」

「あ。よくはわからぬのだがの、どうやら爺婆《じじばば》がありもせぬことを。あー、つまり早い話が、父上が火付けをしたと」

これればかりは、早い話が早すぎる。いったいに小文吾は、簡単なことほど長々と述べて人を苛立《いらだ》たせ、難しいことほどあっさりと言うて人をおののかせる。

どうやら市太郎は井上の祖父母から、こたびの災難はすべて生き別れた父のなしたることと、吹きこまれているらしい。八重が市太郎を伴うて深川を訪ねたのは、彦四郎の身を案じるというよりむしろ、何とかその誤解を解かねばと考えたからかもしれぬ。

そう思えば八重の涙顔は、彦四郎の無事な姿を見てほっとしたというより、ひたすら困惑しているように見えた。

わが子の仇《かたき》にされてしもうた。これはたまらぬ。

「市太郎、何を拗《す》ねておるのだ。よもやおまえ、父がお家に害をなしたなどと、誰かにあらぬことを吹きこまれたのではあるまいな」

彦四郎は市太郎の顔の高さに屈《かが》みこんで、まっすぐに目を見つめ、まっすぐに言った。

「おまえ様は、わたくしの父などではございませぬ」

少しも怯《ひる》まずに、市太郎は彦四郎を睨《にら》みつけた。

「これ、市太郎。父上に向こうて何ということを」

八重は愕《おどろ》いて叱《しか》りつけたが、彦四郎は少しも怒りを感じなかった。むしろ言われたままを実直に信ずるこの気性を頼もしいと思った。

武士は堕落している。本来その精神のうちにあるまじき功利と打算が、多くの武士の心を支配している。義なりと信ずれば脇目《わきめ》もふらず、敵味方の衆寡《しゅうか》もいとわず、命を投げ出す者こそが武士である。

「よいよい。無理強いはするな」

と、彦四郎は八重を宥《なだ》めた。

武士が大切にしなければならないものは、血縁ではなかった。たとえ血脈がなくとも、一所懸命と守る砦《とりで》は、すなわち家である。家族と家との取捨択一を迫られたとき、迷わず家を択《えら》ぶのが武士たるものの道理であった。彦四郎が別所の家の立ち行くために、愚かな兄を犠牲にしようとしている理由も、すなわちそれである。むろんたかだかの御禄《おろく》のためではない。御家大事とする小さな忠心の集合が、大いなる忠となって政《まつりごと》をなす国を形作る。民を安んずる。おのが家を守ることとすなわち、天下を治むる武士道にちがいなかった。

「おまえは偉い。よくぞ父を慕わずに、井上の惣領《そうりょう》として爺様の言葉を信じた」

その言葉の是非ではなく、信ずるところの順序をたがえぬ市太郎を、彦四郎は心から褒めた。

あたりの喧噪《けんそう》は耳から消えてしまった。晴れ上がった秋空の下に、二人きりで向き合うているような気がした。

この気持ちを、わずか七歳の倅《せがれ》に何と伝えればよいのであろう。

「わしは、歴代の上様のうち、有徳院《はちだい》様をいたく尊敬しておる。昨年身罷《みまか》られた昭徳院《じゅうし》様も、御当代の大樹公もな。なぜかわかるか」

少し考えるふうをしてから、市太郎は明晰《めいせき》な答えを口にした。

「おまえ様と同じ、ご養子様にあらせられます」

「そうだ。いずれの御方も御血脈からすれば正統の御本家筋ではない。有徳院様と昭徳院様は紀州より、大樹公は一橋家の御当主にあらせられたが、もとは水戸の御出自じゃ。どなた様も大奥におこもりになられることなく、表向にて親しく政をお執りあそばされたと聞く」

「おまえ様は、ご養子が偉いと申されますのか」

「そうではない。ご養子ゆえに、親子の情よりも大義を大事になされた。武士道とはそういうものだ。わしは同じ養子であったが、情に流されて御家大事の大義を見失うていた。爺様婆様に憎まれた理由は、それに尽きる。すなわち――」

さすがに市太郎の瞳《ひとみ》を見るに耐えず、彦四郎は唇を噛《か》んで俯いた。

「すなわち、わしは井上の家よりも、妻子を愛し過ぎた」

このことばかりはいかに聡明《そうめい》なわが子にも理解はできまい。ただ、二十年三十年ののち、いつかどこかでふと思い返してくれればよいと彦四郎は思った。

火付けについて言うのであれば、自分は無実ではない。おのが手で火は付けぬまでも、邪神を介してそれをなしたのはたしかであった。無実と言えば嘘《うそ》になる。そして愚かなることには、その愛する妻子を不幸にしてしもうた。

そのときふいに秋空の陽《ひ》が翳《かげ》って、あたりがほの暗くなった。さては夕立かと仰ぎ見れば、背後に黒雲のごとく九頭龍為五郎こと厄病神が立っていた。

身の丈六尺、目方は三十貫を超えよう。きょうの出で立《た》ちは浴衣《ゆかた》がけではなく、いかにもこれから土俵に上がるかのように茄子《なす》紺《こん》の褌《ふんどし》をきりりと締め、小弁慶の単衣《ひとえ》をぞろりと羽織っている。

妙なことに、仁王立ちに立った肌は薄赤く上気しており、唇が震え、のみならず切れ長の目は涙で潤《うる》んでいた。

「ううっ。泣かせる泣かせる。事情はたいがい貧乏神、じゃなかった伊勢屋から聞いていたが、こうして目の前にしてみればこれが泣かずにおられようか」

傍目《はため》があるどころか、人垣がぐるりと九頭龍を取り囲んでいた。彦四郎はあわてて腰手拭《こしてぬぐい》を投げた。

「おい九頭龍関、何をみっともない。少しは自分のなりと立場を考えろ」

彦四郎は突き出た腹から見上げるようにして、九頭龍を叱った。

「そうは言うても別所様。わしは生まれつき情に脆《もろ》いたちなのだ」

ええい、と彦四郎は機転を利《き》かせて、十重二十重にめぐる群衆に向き合った。

「このお関取は横綱陣幕の愛弟子《まなでし》でござっての。きょうの引退がつろうてならぬのだ。いやはや、忠義の力士でござるのう」

たちまちあたりに拍手喝采が巻き起こり、人々はわけもわからずわれ先に、手形を求めて墨や半紙を掲げながら九頭龍に殺到した。

「おい、九頭龍関。調子に乗って手形など捺《お》すやつがあるか」

「なあに、どうということはない。わしの腹に触れた者は腹をこわす。手形を持った者は痛風に罹《かか》る程度でごんす」

「ともかく、格別の扱いを一度ならず二度まで聞いて下さり、有難い。こんなところで相すまぬが、お礼を申し上げる」

もみくちゃになりながら、彦四郎はとりあえずのお礼を言った。

相撲茶屋のあたりで見かけることができるのは、せいぜいが序ノ口、序二段の褌担《かつ》ぎである。立派な関取などは東西の仕度部屋に籠《こ》もりきりだから、どこからどう見ても横綱大関の貫禄がある九頭龍に、人々が指一本でも触れたいと思うのは人情であった。

「腹と手足はまあいいとして、胸には触るな、背中も危ない、こら、首に抱きつくな」

彦四郎は人救《ひとだす》けのつもりで、押し寄せる人の波を懸命に追い払った。それでも四方から伸びる手を防ぎようはなく、明日は江戸中の医者と薬屋が大繁盛かと思えば冷や汗も流れた。

「下がれ、下がれ！」

群衆の動きを止めたのは、小文吾の声である。誰もが奉行所の御与力様かと思うほどに、小文吾は毅然《きぜん》たる姿で九頭龍の前に立った。

小文吾はうって変わった修験《しゅげん》の顔で、あれこれと印を結んだ末に大きく数珠《じゅず》を振った。

対する九頭龍はゆったりと腰を割った。どこからでもかかってこいといわんばかりの、横綱の仕切りであった。しかしそのたくましい右腕《かいな》は膝《ひざ》の上にやや突き出されており、軍配が返るとともに右前褌《まえみつ》を取り、すかさず左上手を取って右四つに組み止めるであろうことは明らかであった。

小文吾が数珠を十字に切った。

「臨兵闘者皆陣列在前《りんぴょうとうしゃかいじんれつざいぜん》、喝《かつ》！」

がっと踏みこんだとたん、九頭龍の巨体は小弁慶の抜け殻ばかりを残してかき消えた。

人々はしばらくの間、何が起こったかわからずにぼんやりと佇んでいた。

「彦さん。これはいったいどういうことなのだ」

小文吾はきりりと締まった修験の顔を彦四郎に向けた。

「まあ、話せば長うなるがの。ともかくたいそう難しいことになってしもうた」

葦簀《よしず》がけの桟敷《さじき》席を越えて、相撲甚句《じんく》が流れてきた。悪い夢でも見たかのように、人垣がようやく散った。

もしかしたら九頭龍は、そしらぬ顔で力士たちの中に紛れ入り、土俵の上で相撲甚句を唄《うた》っているのかもしれぬ。

いや、稽古《けいこ》で潰《つぶ》れたあの嗄《しわが》れ声では、せいぜい「どすこい、どすこい」と音頭をとるばかりであろうけれど。

十一

暑気が嘘のように去り、紅葉山《もみじやま》の木立ちがほのかに色づくころ、いよいよ別所家累《るい》代《だい》の御役の引き継ぎが行われることとなった。

厄病神にとり憑《つ》かれた兄の衰弱は甚《はなはだ》しい。しかし何分にも、この紅葉山御影鎧番《おかげよろいばん》なる役職は、別所家が畏《かしこ》くも東照大権現《ごんげん》家康公よりじきじきに賜わったものである。他者への御役替えよりも、ひとまずは弟の彦四郎に譲るのが筋といえばそうであった。彦四郎があえて願い出るまでもなく、組頭の片山伊左衛門はさっさとことを運んだ。由緒《ゆいしょ》こそ正しいが、そもそも幕閣の裁可を得るほどの人事ではない。せいぜいのところ御徒頭《おかちがしら》と御具足奉行に届け出るだけで、面倒は何もなかった。

だいたいからして、いざ合戦というときに三十人の御徒士《おかち》が将軍と同じ鎧を着用して影武者になるなど、戦国の昔ならともかく、大砲《おおづつ》の飛びかうきょうびにはまるで物語である。つまり、誰がどう考えても三十領の御影鎧は実用品ではない伝統の調度類であるから、万が一の上覧に耐えるだけの手入れさえ怠らねばそれでよい。早い話が、どうでもよい御役であった。

御徒頭様よりのお下知はただひとつ、「御役の申し送りは紅葉山御蔵内にて、上番者下番者立ち会いのうえ恙《つつが》なく執り行うべし」である。

御役の引き継ぎであるから当然なのだが、ために兄の左兵衛は南蛮《なんばん》渡来の解熱《げねつ》薬をこれでもかとばかりに服用し、風が吹いても倒れそうな体を曳《ひ》いて登城せねばならなかった。

御濠端《おほりばた》までは大八車に乗せていったが、むろん曲輪《くるわ》内は徒歩である。人目につかぬよう、片山伊左衛門と彦四郎が介添をして紅葉山に向かった。

それも、兄が人並に意地のある侍ならよいのだが、十歩も行けば「もうだめだ」と膝をつく。紅葉山は本丸と西の丸に挟まれた城内随一の高所であるから、道中で頓死《とんし》されてはかなわぬと、彦四郎は冷汗をかいた。

かつて小十人組の組頭を務めていたころの詰所は、本丸御殿の檜之間《ひのきのま》である。したがって表向の様子はよく知っていたが、紅葉山は濠ごしに眺めるだけで、両曲輪を結ぶ西拮橋《にしはねばし》の土橋も渡ったことはなかった。

御城内はともかく広い。その江戸城の臍《へそ》ともいえる聖域を真下から仰ぎ見れば、ここが権現様の昔からわが祖宗の仕えた場所なのかと、感慨もあらたである。

紅葉山の曲輪内は寺社奉行の管轄《かんかつ》で、呑気《のんき》な番人のほかには人影も疎《まば》らであった。それでもまさか背負うわけにはいかぬから、彦四郎と組頭で兄の両脇《りょうわき》を抱え、曳きずるように歩いた。これが真夏の炎天下であったら、当主の城内頓死の罰で別所家は家禄召し上げであろう。貧乏神と厄病神の順序は幸いであったと、彦四郎は妙な得心をした。命に別状はなく、ひたすら病み苦しむだけだというようなことを厄病神は言うたが、死ぬのは兄の勝手なのだから無責任な言葉ではある。

「彦四郎。おぬし、何を考えておるのだ」

兄を曳きずりながら、片山伊左衛門が訊《たず》ねた。

「いや、べつにどうということは」

「どうもおぬしは近ごろ、ぼうっと物思いにふけることがある。まあ、このような難儀続きでは無理もあるまいが、今少ししゃんとせい。いったん出役《しゅつやく》となれば、文武に秀《ひい》でたおぬしのことだから、誰かしらの目に留まって大出世を果たすやもしれぬのだ。御公辺《ごこうへん》はいまや、常によき人材を探しておるのだからな」

組頭は好人物だが、その期待には多少の打算があると彦四郎は思った。もし組内から出役出世を果たす者が出れば、その手蔓《てづる》でほかの御徒士も冥加《みょうが》を蒙《こうむ》るのは道理である。聞くところによると、三味線堀の榎本釜次郎《かまじろう》のおかげで、何人もの御徒士が出役を果たしたらしい。

その伝でいうなら、かつて小十人組頭の井上家に婿入《むこい》りしたおのれに、同輩たちは大きな期待をかけ、かつ離縁された折にはよほど落胆したのであろう。

齢《よわい》五十を過ぎた片山伊左衛門がこの先の出世を願うはずもないが、惣領《そうりょう》の倅《せがれ》はいまだ元服前なのである。つまり兄に代わって彦四郎を出役させるのには、過《あやま》ちを防ぐということのほかに、そうした理由もあるにちがいなかった。

打算とまではいうまい。それも人情であろう。

「兄上、生きておられるか」

よもやと思って彦四郎は訊ねた。振り返れば玉砂利の上に、兄の足跡は二筋の轍《わだち》となっていた。草履はすでに彦四郎の懐《ふところ》の中である。

「生きておるわい。いつ息が上がってもふしぎはないがの」

声はあんがいしっかりしている。力がないのではなく、いくじがないのである。兄のそうした気性は、弟よりも上司のほうが知悉《ちしつ》していると見えて、伊左衛門は労《いたわ》るどころかいっそう力をこめて兄の体を曳いた。

「まったく、惣領の厄介者とはこのことじゃわ」

こんもりと木立ちの繁《しげ》る山頂を見上げる。緑青《ろくしょう》の立派な甍《いらか》は権現様を祀《まつ》る東照宮である。参道を下った麓《ふもと》に台徳院《にだい》様の御霊屋《みたまや》があり、さらに一段下がって、大猷院《さんだい》様、厳有院《しだい》様、常憲院《ごだい》様の廟《びょう》が並び、その対《むか》いが文昭院《ろくだい》様の御霊屋だそうな。

それぞれの御霊屋は豪奢《ごうしゃ》かつ広大であるから、その後は造営することなく、御齢八歳で亡《な》くなられた有章院《ひちだい》様からは既存の廟に合祀《ごうし》されたらしい。

さすがは名君の誉れ高き有徳院《はちだい》様のお差図であると、彦四郎は伊左衛門の説明を聞きながらいたく感心した。

つねづね考えていることなのだが、八代吉宗公のお定め事というのは実に当を得ていて、そのお蔭《かげ》で今日まで幕府が保たれてきたというても過言ではあるまい。しかるに昨今のご威光の翳《かげ》りは、そののち第二第三の改革者が出現しなかったせいであろうと彦四郎は考えている。どのようにすぐれた制度でも、時とともに疲弊するのである。

いかに尊き祖廟といえども、政《まつりごと》をなす城内を墓だらけにするわけにはいかぬ。よって予よりのちの将軍の霊は従前の廟に合祀せよ――と、吉宗公はお命じになったのであろう。けだしごもっともである。

「有徳院《はちだい》様は、御書物蔵を潰《つぶ》して御霊屋を造営したことに、ひどく憤《いきどお》られたそうだ。まさに有徳の賢君であられたな」

組頭はいくじのない病人に言って聞かせるように、歩きながらそう呟《つぶや》いた。

紅葉山下の御門は、鉤《かぎ》の手に曲がった長屋門である。番士に来意を告げると、伊左衛門と同年配の老役が出てきた。言葉づかいや身なりから察するに、身分は御徒士と変わるまい。

兄は門前で横座りにへこたれてしまった。

「だいぶお具合が悪いようじゃな。何もこうまでして御役の申し送りをすることもなかろうに」

と、老役は病人を労るでもなく、むしろ蔑《さげす》むように言った。どうやら兄のいいかげんなお勤めぶりは知っているらしい。

「御徒頭様から、それだけは御蔵内にてせよとのお下知なのだから仕方がない」

伊左衛門が親しげな口ぶりで答えた。どうやら二人の老役は旧知の間柄であるらしかった。

「さようか。つまり日ごろ何もしなかったうえに病に罹《かか》ったのだから、役継ぎぐらいは苦労せいということじゃな」

「まあ、そんなところでござろう」

「しかしのう、片山殿。わしは病人の肩を持つわけではないが、その別所殿が格別であったわけではないぞ。今どき御家人《ごけにん》中で仕事らしい仕事をしている者など珍しかろう。わしとて同じじゃがの。むしろ張り切って御役を務めようとすれば、周囲から疎《うと》まれる」

老役はちらりと彦四郎を見た。その思わせぶりの目つきからすると、彦四郎の噂《うわさ》は耳にしているようであった。

「面目次第もござりませぬ」

老役の姑息《こそく》な顔を睨《にら》み返して、彦四郎は軽く頭を下げた。誰に疎まれ妬《そね》まれようが、張り切って御役を務めることが謬《あやま》りであろうはずはないと思う。自分は幕府御家人として、当然なすべき務めを果たしていただけで、それを疎んじるというのはつまり、疲弊した制度の中で人間が堕落したということであろう。

山下御門を抜けると、しばらく小濠に沿うた砂利道が続く。紅葉山の蔵群《くらむれ》はその濠の向こうに巨大な甍を並べていた。

木橋を渡り、尻端折《しりつぱしょ》りの小者がぼんやりと佇《たたず》む通用門から入る。兄はようやく自分の足で歩き始めた。

目の前の蔵を指さして、伊左衛門が言った。

「これは御書物蔵だ。長さ十間、幅が三間。どうだ、立派なものであろう。あちらの十三間の御蔵は御鉄砲蔵、その隣りは御具足蔵だがおぬしの持場ではない。で、その向こうは御屏風《びょうぶ》蔵だ」

「はてさて、ずいぶんとてんでんなものが蔵《しま》われているのでございますな」

「さよう。てんでんであるからして、それぞれの御蔵役人もてんでんに勝手なことをしておるわけよ」

たしかにそれぞれの御蔵の周囲には、ぽつりぽつりと暇を持て余した役人がいる。立ち話をしている者もおり、蔵の壁に倚《よ》りかかって書物を読んでいる者もいた。

紅葉山の敷地は寺社奉行の所管だが、具足も鉄砲も書物も屏風も、蔵ごとに別の御番から遣わされている役人がついているので、実に勝手気ままなのである。

「もしや、どの御役方も権現様の肝煎《きもいり》ではございますまいの」

彦四郎が冗談で口にしたことを、伊左衛門はまともに考えるふうをした。

「あるいはそうかもしれぬ。お気楽なうえに別途の役料までいただけるのだから、長い間にはそういう伝説をでっち上げて、御役をわがものとした家もあるだろう。いや、むろんおぬしの家はちがうぞ」

「ちがう、ちがう」と、兄が幽霊のように歩みながら手を振った。

広大な蔵地の奥には玉垣が繞《めぐ》っており、小高い丘の上に御霊屋の屋根が三つ並んでいた。山下の廟である。火除《ひよ》けのために樹木をいっさい植えていない蔵地を、紅葉山と山下の御霊屋がとり囲んでいるせいで、あたりは谷地《やち》のように安閑としていた。その静けさがいよいよ御家人の極楽である。

紅葉山の頂から下る脇石段の下に、ひときわ大きな蔵があった。

「さて、これがおぬしの持場だ。長さ十八間、この中に別所家の当主が代々お護《まも》りして参った御影鎧が蔵われている」

彦四郎の胸はときめいた。御徒士の務めは諸事雑用で定まるところがないが、別所の家だけは権現様のお下知により、二百五十年にわたってこの御役についてきたのである。

見上げればほのかに色づいた紅葉山の頂に、東照宮の本殿と拝殿の屋根が聳《そび》えていた。鮮かな緑青の瓦《かわら》の上には、江戸城の中心を穿《うが》つかのごとく鰹木《かつおぎ》が輝いていた。まさしく権現様のお足下である。元和偃武《げんなえんぶ》の昔から十八代にもわたって父祖が仕えてきた御蔵の白壁に、彦四郎は掌《てのひら》を押し当てた。

「御影鎧番は別所家の御役じゃによって、わしが立ち会うべきではあるまい。御先祖様はお連れ申したか」

「はい、これにござりまする」

彦四郎が懐から袱紗《ふくさ》にくるんだ位牌《いはい》を取り出すと、伊左衛門はひとつ肯《うなず》いた。

「おぬしは万事にそつがない。今さらこの兄者より申し送らるることなど何もなかろうが、御徒頭様からのお下知ゆえ、小半刻《こはんとき》ばかりは御蔵の中におれ。わしは外で待っておる」

「ご面倒をおかけいたしまする」

兄弟は並んで頭を下げた。

そのときふと彦四郎は、羽織をどうしたものかと思った。伊左衛門と兄は御徒士の矜《ほこ》りである黒縮緬《くろちりめん》無紋の役羽織を着ていた。自分が着ているものは、同じ黒無地でも由緒《ゆいしょ》正しい御徒羽織ではない。

将軍家はどこにお成りのときにも、必ずお手近に無紋の黒羽織をお持ちになるそうな。つまり変事の折にはその羽織を召されて、御徒士の中に紛れ入るのである。

御役を引き継ぐことになっても、別所家の家督を兄から譲られたわけではないのだから、この羽織をおのれが着るべきではあるまい。だが、御徒士の矜りたる役羽織を着ずに登城するのも、おかしな話ではある。

このことは御蔵内で兄と相談してみようと彦四郎は思った。

熱に慄《ふる》える手に鍵《かぎ》を握って、兄が御具足蔵の錠を解いた。

十二

彦四郎よ。

うしろにかしこまっておっても仕様があるまい。これは大切な御役の引き継ぎじゃによって、わしのかたわらに直れ。

ああ、ああ、それにしてもいったいどうしたことじゃろう。わしはおまえとちごうて出来は悪いが、体が丈夫なことだけが取柄じゃったのに。

流行《はや》り病が出たという話も聞かぬ。無理をした覚えもない。だのにまったく突然と、まるで厄病神にとり憑《つ》かれでもしたようなこの病じゃ。

いっこうに本復する気配もない。この分では、やがて遠からず命を落とすやも知れぬと思うて、御組頭様のお勧めに順《したが》うこととした。これまでずいぶんとおまえには冷たくして参ったがの。今にして思えば、ほんにおまえがいてくれてよかった。ともかくもこれで、亡き父上にも爺《じい》様にも申し訳がたつというものじゃ。

いやはや、参った、参った——。

ところで、じっくり聞いておらぬが、陣幕の引退相撲はいかがじゃったかの。

人は薩摩《さつま》抱えのどうのと辛いことを言うが、あれは天下無双、日の下開山の大横綱じゃ。これからがいよいよ陣幕の時代じゃというに、薩摩のお抱え力士じゃというだけで綱をおろさねばならぬとは、無念な話じゃのう。

わしは陣幕の引退興行が無念のうえにも楽しみで、その日を指折り算《かぞ》えて待っておった。口にこそ出さなんだがの、あの大雨で興行まで日延べになるのではなかろうかと心配した。

なに、興行が流れるよりも屋敷が流れそうだったと申すか。それもそうじゃが、まあよいではないか。相撲も屋敷も無事で何よりじゃった。

この病をしていうなら、あの晩少々雨に濡《ぬ》れたことじゃろうか。だとすると無理をせんでよかった。皆様と一緒に働いておったら、おそらくこうしてお役の申し送りもすることなく、命を落としていたにちがいない。

実はの、彦四郎。わしは熱を出した晩に、妙な夢を見たのじゃ。

枕元《まくらもと》には、巨漢の力士がこう、大あぐらをかいてわしの顔を見おろしておったのよ。それはもう、陣幕どころか、谷風か小野川かと見ゆる大貫禄《かんろく》の関取じゃった。

あの顔は忘りょうにも忘られぬ。大銀杏《おおいちょう》を一筋も乱さず結い上げておっての、眉《まゆ》がきりりと太く、切れ長の役者のごとき目をくわっと瞠《みひら》いておった。身なりは立派な紋付袴《はかま》じゃ。家紋が抱き稲であったところまで、よう覚えておる。

はて、稲穂の御家紋とはどこの大名のお抱え力士じゃろう、と考えても思い当たらぬ。ふと、ははあこれは狐《きつね》の化身じゃなと思うた。狐ならばお稲荷《いなり》様の遣いじゃによって、家紋は抱き稲じゃろう。

「なにやつ」と、言おうとしたが声も出ぬ。それはかりか金縛りじゃ。すると力士は巨《おお》きな顔をわしにぬうっと近づけてきおって、低い嗄《しわが》れ声でひとこと言うた。

「ごっつぁんです」

凩《こがらし》のように冷たい息がわしの顔にかかったと思う間に、力士の姿は消えておった。

むろん夢にはちがいないがの。夢じゃ夢じゃと思うそばから熱が出た。われながら、相撲好きにも呆《あき》れ果てるわい。

まあ、夢の話などどうでもよい。

どうじゃ、彦四郎。これが将軍家の御影鎧《おかげよろい》三十領じゃ。みごとなものであろう。鎧櫃《よろいびつ》に納むることなく、まるで正月か節句のように飾ってあるのは、何も人に見せるためではない。すわ合戦というとき、たちまち三十人の影武者が出揃《でそろ》うように、常ひごろからこうして並べ置いてあるのじゃ。

何でも、もとは鎧櫃に蔵してあったそうじゃが、ある日有徳院《はちだい》様がお成りあそばして、一朝事あるときのために鎧はすべて櫃より出しおけ、とお命じになられたそうだ。以来、三十領はすべて櫃に腰をかけたままとなった。出番がないのは幸いじゃが、お蔭で手入れが大変じゃ。

上様がお召しになる本物の御一領は、紅葉山の東照宮本殿に蔵われておるらしい。これなる三十領は、その御一領と綴《しころ》ひとつ変わらぬという話じゃ。

御組頭様は、今さらわしが申し送ることなど何もなかろう、などとひどい言い方をなされたがの。わしとて十八代も御役を務むる別所家の当主じゃによって、多少は物を知っておるわい。伝うるべきことは伝えておくぞ。

まず、これなる鎧は、御名を「大黒頭巾歯朶具足《だいこくずきんしだぐそく》」と称する。いや正しくは、その御影鎧三十領じゃな。

御名は兜《かぶと》の前立《まえだて》の、金色鍍金《こんじきと きん》の羊歯《しだ》の葉にちなむ。その金色と庇《ひさし》の朱のほかはすべて黒ずくめじゃ。これほど真黒の鎧兜など見たためしはあるまい。兜の鉢は大黒様の頭巾を象《かたど》っている。

東照神君家康公はある夜、天下をお取りになる夢をご覧あそばされた。そしてその夢のうちにご着用なされていた鎧兜を、名人の誉れ高い大和国の甲鎧師、岩井与左衛門なる者に造らせた。それがこの「大黒頭巾歯朶具足」じゃ。

権現様は関ヶ原の合戦にも、大坂の陣にもこの鎧兜を召されてご出陣になった。いわば天下取りの吉祥の鎧兜じゃな。

まず兜を見よ。鉢は黒塗の大黒頭巾に羊歯の葉の前立、錣は黒塗板札《いたざね》、黒糸素懸威《すがけおどし》、三段の饅頭錣《まんじゆう》。

鎧もまた黒一色じゃ。胴は黒塗伊予札、黒糸素懸威の二枚胴具足。袖《そで》も同様の五段丸袖。草摺《くさずり》も同じ八間重ね五段。小具足の籠手《こて》も臑《すね》も、すべて漆黒に塗りこめてある。

われら影武者は、この鎧の上にやはり上様とどこもちがわぬ揃いの陣羽織を着る。これは飾っておいたのでは色が抜けてしまうゆえ、そこの革袋の中に蔵うてある。

これも見ておくがよい。

どうだ。地は猩々緋《しょうじょうひ》の羅紗《らしゃ》、背には韋革《なめしがわ》を切り抜いた軍配団扇《うちわ》に、金箔《きんぱく》をかけてある。黒ぞなえの具足の上に、こう、真赤な陣羽織を着るのじゃ。

さらには、同じ拵《こしら》えの陣太刀を佩《は》く。太刀は奥の刀箱の中に、休め鞘《ざや》に替えることもなく黄金《こがね》造りの拵えのまま蔵われている。

もっとも、上様の佩用《はいよう》になられる太刀は来国光《らいくにみつ》の大業物《おおわざもの》じゃが、影武者の太刀の中身は数打ちの洋鉄《ようがね》じゃ。

どうじゃ、彦四郎。われら御徒士の父祖は関ヶ原においても大坂の陣においても、この三十領の御影鎧を着て常に権現《ごんげん》様のかたわらに侍しておった。

この正面にある一領を、よく見よ。影鎧には一番から三十番までの数を付してあるがの、これがそのうちの一番鎧じゃ。

二枚胴の腹に二つ、背に一つ、槍《やり》をつけられた傷がある。兜の前庇にも、打ち込み傷が残っておる。

わかるか、彦四郎。これはわが祖が大坂夏の陣において、権現様の身替りとなった折に蒙《こうむ》った傷じゃ。

真田《さなだ》幸村《ゆきむら》は駒《こま》を一直線に並べ、わが旗本の陣構えを貫いて攻め寄せた。「家康、見参！」と叫びながらの。まったく思いも寄らぬ奇襲じゃった。

幸村迫る、との急報を受けたわが祖はお目見得以下の身分にもかかわらず本陣に駆けこみ、うろたえる武将たちを押しのけて権現様に直訴なさった。

「御大将に申し上げますする。いかに影武者多しとは申せ、彼我入り乱れての斬《き》り合いとなれば、三十一のうちのひとつは御大将のお命にござりまする。さらば、拙者に御本陣と御馬標《おうまじるし》を賜われますよう、御願い奉《たてまつ》りまする。畏《かし》くも御大将の御身になりかわりまして、拙者が首を挙げらるる間に御難を避けられませ。ここは断じて御大将の死にどころにはあらず、断じて御徒士《おかち》の死にどころにござりまする」

権現様はわが祖の衷心《ちゅうしん》をご嘉納《かのう》になり、ほかの御徒士どもに守られてお遁《のが》れになった。

わが祖は未《いま》だ若かったが、面被いを付けてしまえば齢《とし》などはわからぬ。決死の近習らとともにわが祖は本陣に残り、将几《しょうぎ》にどっかと腰を据えて、迫りくる幸村の軍勢を待った。

三葉葵《みつばあおい》の陣幕のうちに、大黒頭巾歯朶具足の鎧兜をまとい、猩々緋の陣羽織を着て来国光の太刀を佩いた武将が、めざす徳川家康公ではないと断ずる者などおるはずはあるまい。しかも御本陣には、常に御大将とともにある金扇の御馬標が立てられていた。

窮地を脱しながら、わが祖の大音声《だいおんじょう》を聴いた者があるという。

「家康これにあり。厭離穢土《おんりえど》の心は日々にすすみ、欣求浄土《ごんぐじょうど》の念時々にまさりければ、ゆめゆめ遁れ申さず、これにて一代の末期《まつご》といたす。みごとわが首を掻《か》いて豊太閤殿《ほうたいこう》下の墓前に供えよ」

その父祖の名を、別所彦四郎直挙《なおしげ》というは、おまえもむろん知っておるであろう。爺様や父上が、赤児のころから明晰《めいせき》であったおまえにいかほど期待を寄せていたかがわかろうというものだ。

のう、彦四郎。

大きな声では言えぬが、この御影鎧番などという御役は、まことにつまらぬものじゃぞえ。考えてもみよ、よしんばこのさき戦があるにせよ、上様が影武者を三十人も伴うて戦陣に立たれる場面など、万が一にもあると思うか。大砲と鉄砲を撃ち合う今の戦に、影武者の出番があるわけはなかろう。

つまりこの御役は、かつてかくかくしかじかの故実がござったと、後世に語り伝うるためだけの御役に過ぎぬのだ。このたいそうな御影鎧三十領にしたところで、一種の遺物というほかには何の値打ちもあるまい。

紅葉山の御霊屋《みたまや》には、御歴代のご遺業を語り伝うる付坊主がおるがの、まあこの御役も似たりよったりであろうよ。さよう思えば、御影鎧の手入れなどに身が入ろうものか。はっきり言うて、こんなものを後生大切にしておるから幕府は駄目になったのじゃ。ばかばかしいにもほどがあるわい。

ただし、この御役に限らず紅葉山の御蔵番には、呑気《のんき》なばかりではのうてなかなかよいこともある。あちこちの寄り合い所帯じゃから、しばしばお偉い方が顔を見せる。御奉行様どころか、若年寄も御老中もおいでになる。春と秋には上様のお成りじゃ。何かの拍子にどなたかのお目に留まるとなれば、まずこれほど機会に恵まれた御役はほかになかろう。

わしか。わしはそもそも出世の願望などないからの。それは父上も爺様も同じであったろうよ。お目になど留まるわけもなし、また留まりたくもないわい。

しかし、彦四郎。おまえはちがう。けっして身贔屓《みびいき》ではなく、おまえのように文武の芸に秀《ひい》で、人徳も気性もすぐれた侍を、わしはほかに知らぬ。

しからばわしは、いずれおまえがさるべき人の目に留まり、抜擢《ばってき》を受くる日を信じていた。それはおそらく御組頭様も、御同輩の皆々様も同じ思いであったろう。

よいか、彦四郎。井上軍兵衛はおまえの才を持て余したのだ。つまりおまえの器は、小十人組《こじゅうにんぐみ》御組頭などにとどまるものではなかった。だから軍兵衛はじめ周辺の輩《やから》は、おまえを嫉《ねた》み妬《そね》むことしかできなかった。

おまえはさまざまおのれの非について考えおるであろうが、わしはそう思う。いや、そうとしか思えぬ。おまえに謬《あやま》りはない。謬っておるのは、軍兵衛と周辺の者どもじゃ。もしかしたら、おまえの才を認めようとせぬ幕府のすべてが、謬っておるのやもしれぬ。

井上が屋敷の焼けたのは、権現様のお怒りに触れたからであろうよ。人がおまえに加担しようとしないのならば、神仏がおまえにとり憑いて力となるのも道理というものだ。

なんじゃ、その顔は。ははあ、さすがに君子は怪力乱神の類《たぐ》いを信じぬ、か。まあ、そう思うならそれでもよい。わしはまさか君子ではないゆえ、神仏の冥加《みょうが》を信じておるでな。

きっとおまえは、あの三味線堀の榎本釜次郎のように、いつか大出世を果たすにちがいない。それもさほど遠からぬうちのような気がしてならぬ。

おまえにとっては、呑気などころか退屈な御役目であろうが、ここでじっとその日を待つがよい。必ず神仏の冥加を蒙るじゃろう。

ああ、そういえば榎本釜次郎は、いつの間にか帰国しておるそうじゃな。何でも留学のみやげに、開陽丸なる軍艦をオランダから回航して参ったそうで、ちかぢか海軍奉行にも出世するというもっぱらの噂《うわさ》じゃ。そうとなれば、気易《きやす》く釜次郎でもあるまい。何々の守《かみ》様とかいう官名にて、噂話もせねばなるまいよ。

さて、と——。

また熱が上がって参った。万が一、御城内で頓死《とんし》すれば家禄召し上げは免れぬゆえ、早々に下城いたそう。なにしろ幕閣は、御家人の口べらしばかり考えている。七十俵五人扶持《ぶち》の御徒士でも、城中頓死は思うつぼじゃわい。

ほかに申し送ることなどない。要すれば鎧兜の錆《さび》を落として、漆《うるし》を塗っておけ。あ、そうじゃ、そうじゃ。肝心かなめのことを忘れておった。

羽織を脱げ。御役につくからには、御徒士の矜《ほこ》りたる黒縮緬《ちりめん》無紋のこの羽織を着ておらねばなるまい。

何を遠慮しておるのだ。きょうからはおまえが別所家の当主じゃぞ。ただし甥《おい》ッ子が元服したならば、潔《いさぎよ》うこの御役は譲ってやってくれ。もっとも、そのころにはおまえも榎本釜次郎のように出世して、この御蔵などにはまさかおらぬじゃろうが。

よし。なかなか似合う。さすが別所彦四郎の名に恥じぬ御家人様じゃ。

のう、彦四郎。

わしに限らず、旗本御家人はみな腐ってしもうた。立身出世もしてほしいが、おまえひとりは権現様の恃《たの》むに足る、徳川の御家人であり申せ。

わしはさんざんこの御影鎧を虚仮《こけ》にいたしたが、実はこれらに取り巻かれて日々を過ごすうちに、考えさせられたことも多いのじゃ。

御影鎧の値打ちが下がったのではのうて、わしらが変わってしもうたのではなかろうか、となあ。あるいはわしらの生くる、この世の中が変わってしもうたのではないのか、と。

わしは頭が足らぬゆえ、そのさきは考えが及ばぬ。どうかおまえのおつむで、正しきことを考えてくれ。

有徳院《はちだい》様は時代に応ずるためのさまざまの改革をなされたが、この御影鎧は従前のままになさった。その御台慮《ごたいりよ》が、わしにはようわからぬ。陋習《ろうしゆう》の最たるものを、そのままになされた吉宗公のお心を、わしはどうしても察し奉ることができぬのじゃ。

よう考えて、答えが出たならわしに教えてくれまいか。

どれ、おまえの羽織を着よう。これは井上の家におったころのものじゃな。なるほどよい仕立てじゃわい。

それにしても、あの夢の中の力士が着ておった羽織の、抱き稲の家紋が気にかかってならぬ。まさか稲荷の化身が厄病神ということはあるまいが、幸いこの羽織も無紋ゆえ、ためしに抱き稲の紋を染めてみるとするか。

なに、やめろ、とな。

なぜじゃ。稲荷大明神のご霊験《れいげん》たちまちに下って、病が本復するやもしれぬではないか。

どうしても、やめろ、か。

なにゆえさよう目くじらを立てるのだ。裏紋などいくつあってもかまわぬではないか。

やァめェろォ、と怒鳴るな、これ。

何も額に青筋立てて怒るほどのことでもあるまい。さてはおまえ、わしにも母上にも内緒でよからぬ宗門に帰依《きえ》でもしたか。おまえの苦労はわからぬでもないが、天主教だけはまずいぞ。そんなことが露見したなら、城内頓死どころの騒ぎではない。一族郎党、火焙《ひあぶ》りの刑じゃ。

そうか。ちがうならよい。

わしはこの際、藁《わら》をも摑《つか》みたい病状ゆえ、頼れる神仏には頼ることとする。いちいち文句はつけるな。

では、これにて紅葉山御具足蔵、御影鎧番の申し送りを恙《つつが》なく終え、下番いたす。

冀《こいねがわ》くは東照神君家康公の御みたま、御歴代の御みたまの御照覧あれかし。南無《なむ》八《はち》幡大菩薩《まんだいぼさつ》。南無東照大権現。臣別所彦四郎直篤《なおあつ》が武運長久に、御神力を垂れ給《たま》わん——。

十三

兄と伊左衛門が下城してからも、彦四郎は具足蔵の板敷に座って物思いに耽《ふけ》っていた。

東西十八間の長細い蔵である。風抜きの窓は東と西の端に開かれており、蔵内はほどよく乾いていた。

西の窓の中には、誂《あつら》えたように山頂の東照宮が収まっていた。昼日なかにはほの暗かったものが、陽《ひ》の傾くほどに西空の茜《あかね》が映えて、蔵内は緋《ひ》毛氈《もうせん》を敷きつめたように明るんだ。

何を考えていたわけでもない。邪神にとり憑《つ》かれてからというもの、頭の中からは道理が失われてしまっていた。身の上に起こっているのは、まさに人知の及ばざるところなのであるから、物を考えているというより頭が悪あがきをしている。

ぼんやりと考えていたのは、父祖のことである。大坂夏の陣の後にこの御役を賜わったのだから、別所家の歴代の父祖はかれこれ二百五十年ばかりも、この蔵の板敷に座り続けてきた勘定になる。

近ごろでは父が早死にし、隠居していた祖父が御役に戻り、兄がそのあとを継いだ。十八代もの家統の間にはもっと複雑な出来事もあったにちがいない。

兄が祖父から御役を申し送られたのは、前髪の取れたばかりの十五か十六のころであったと思う。だとすると、すでに二十年もこの御役を務めていたわけで、その間に自分は学問に勤《いそし》み剣術に励んでいたのだと思えば、申しわけない気持ちにもなった。

生来おのれがすぐれているのではなく、文武の芸を修める機会を、兄が与えてくれていたことになる。おそらく二百五十年の間、嫡男《ちゃくなん》と弟たちの間には同じ試みがくり返されてきたのであろう。優秀な弟たちが出世を果たして家名を挙ぐる日を、別所家の歴代は常に夢見ていたのではなかろうか。

だが、その試みが成功したという話はとんと聞かぬ。そしておのれもまた、小十人組御組頭という、実家を凌《しの》ぐ出世を棒に振ってしまった。

そこまで考えると、家にまつわる身分というものが、どうあがいても抜け出ることのできぬ泥沼のように思えてきた。数知れぬ父祖が、文武の芸を修めてその泥沼から這《は》い上がろうとし、果たせずに転げ落ちた。

もしや別所の家は、権現様からこの御役を褒美《ほうび》として賜わったのではなく、呪縛《じゅばく》されたのではあるまいか、と思った。しかも、その呪縛を解いてくれてもよさそうな吉宗公も、そうはして下さらなかった。むろん権現様も有徳院《うとくいん》様も悪意はござるまいが、結果としてこの板敷に日がな座り続けるほかはない別所家の当主からすれば、この御役はやはり呪縛である。

不遜《ふそん》きわまる考えではあるけれど、わが祖が忠義の臣であるならば、いや、命の恩人であるならば、こうした御役を賜うのではなくて身分を引き上げてくれてもよかりそうなものである。だが権現様は、そうはして下さらなかった。永遠にこの板敷に座り続けよ、というわけだ。

亡《な》き祖父から夜な夜な聞いた昔語りによれば、別所家は譜代《ふだい》御家人のうちでも「安《あん》祥《じょう》譜代」に属するという。すなわち徳川家の祖が三河の松平郷の土豪であったころの家来が「松平郷譜代」、やがて勢力を得て安祥城に拠《よ》ったころの家臣が「安祥譜代」、さらに岡崎城において戦国大名となった時代の家来衆を、「岡崎譜代」と称するそうで、主家の発展に伴い家臣は急速に増えたから、いわゆる「安祥譜代」は相当に由緒《ゆいしょ》正しい旧来の臣だそうである。

つまり、いかに古い家来であろうが、足軽は足軽というわけだ。幕府の御家人に足軽という身分はないけれど、最下級の家来であることにちがいはない。だから三河安祥以来、数代にわたって戦場を先駆け、ついには権現様の身替りとなって首を差し出したところで、その報いはせいぜい御影鎧番なのであろう。

父祖は名誉に甘んじた。だが、かつては戦陣に命をかけ、また平らかな世に至ってはご役目に命をかけてきた御徒士が、旧来の身分を二百五十年間も問われ続けるのは、いかさま理不尽であると彦四郎は思った。

たとえば、別所の家が平徒士の身分ではなく同等であれば、井上家の当主としての地位も難なく保証されていたのではなかろうか。何をされても文句のつけようがない、身分の足元を見られたのである。

不幸の正体は、まさにそれであった。

——そうこう思いめぐらすうちに、蔵の扉が軋《きし》みをたてて開いた。石畳に爆《は》ぜ返る夕日が、板敷に座る彦四郎の影を長く曳《ひ》いた。

肩ごしに振り返ると、異装の男が佇《たたず》んでいる。さてはまたしても邪神の顕現かと思うたが、男は親しげに声をかけてきた。

「おお、彦四郎か。いや、久しい、久しい」

なぜ城中に異人がいるのだ。髷《まげ》を落とした総髪をこってりと撫《な》で上げ、詰襟《つめえり》の西洋軍服を着ている。だが、腰の扱《しご》き帯には大小の刀を差していた。

「所用で紅葉山の御番所まで参ったんだがよ、そしたら、おめえさんが御役の引き継ぎでここにいるってえから、ちょいと覗《のぞ》いてみたのさ。こんな折でもなけりゃ、改まって会うこともねえだろうと思って」

相変わらず嫌なやつである。そうは思っても、この身なりからするとほどなく海軍奉行という噂も嘘《うそ》ではあるまい。

彦四郎は板敷をにじり下がって、ていねいにお辞儀をした。

「いかに久しいとは申せ、さよう気易くお声などおかけ下さりますな。ともあれ無事のご帰国、おめでとうござりまする」

連れはいないようである。あたりを見渡してから、榎本釜次郎は扉を閉めて蔵の中に入った。

「どうもこの短靴てえやつは、脱ぎ履きが面倒くさくて仕様がねえ」

と言いながらも、榎本は板敷に足を投げ出して編み上げ靴の紐《ひも》をほどき始めた。

「ご面倒ならばそのままでようござる。拭《ふ》き掃除をいたしまするゆえ」

「そうもいくめえ。まったくよお、日に何度もこのざまだぜ。かといって断髪に羽織袴《はかま》てえのも、みったく悪くていけねえ。俺が日本に合わせるか、日本が俺に合わせるか、これァ当面の問題だぜ」

「ニッポン、とは？」

「あれ、おめえさんそんなことも知らねえんか。俺っち留学生はよ、幕府だの長州だの薩摩だのってそれぞれのお国を名乗るのはうまくねえから、みんな日本てえ国からきたということにしたんだ。ニッポン、ニッポン。つまりとりあえずのところ、エゲレス、オランダ、フランス、ニッポン、てえことさ」

わかったようなわからんような説明であるが、何となくわかった。

「それにしても、大出世でござりますのう」

「おおよ。俺もよもやこうまでとんとん拍子に行くとは思わなかった。なにせもとは、下谷三味線堀の御徒士の倅《せがれ》だぜ。しかも、おめえさんの家みてえに由緒正しいわけでもねえ。知ってっか、彦四郎。実はよ、俺のおやじは備後湯田村の郷士で、御徒士の株を買って御家人になった金上げ侍なのさ」

その話は耳にしたことがある。だが、それはけっして榎本釜次郎を貶《おとし》める噂ではなく、むしろそうした出自でも実力次第で出世が叶《かな》うという意味では、御家人たちの励みになっていた。むろん、おのれの手本たるを知っていればこそ、釜次郎は恥ずるでもなくそう言うのであろう。

ただし、相変わらず嫌なやつである。

旧来の御家人が金上げ侍を蔑《さげす》むのは当然で、いきおい彼らは町人や中間《ちゆうげん》小者の類《たぐ》いと付き合うことが多く、またそのほうがそもそもの出自からしても居心地がいい。だから二代目三代目に至っても、態度物腰は品性に欠け、言葉づかいも伝法であった。

むろん御家人株の売買は公認されているわけではない。売手が買手を養子に迎えたと称してお上に届け出るのである。このごろは御家人の困窮も甚しく、そのぶん株の相場も下落しているので、いわゆる金上げ侍は少しも珍しい話ではなかった。

ということは、幕府も承知の上でこの養子縁組を認めている。すなわち株の売買は公認ではないが、立前だけ整えれば黙認されるのである。

「もっとも、俺が格別に出来がいいわけじゃねえのは、他の者ならともかく、おめえさんはわかってるだろう。同じ金上げ侍の誼《よしみ》で、勝安房守《かつあわのかみ》様が引き立てて下さらなけりゃあ、くたばるまで七十俵五人扶持の御禄《おろく》に、天文方出仕の五俵の御役料を加えた御徒士で終わっちまったはずだ」

ここまで言うか、と彦四郎は鼻白んだ。勝安房守は今や幕閣にその人ありと知られる実力者だが、祖父の代に御家人株を買った金上げ侍であることは、ひそかに知られるところであった。同じ出自の誼で、というのはありそうな話ではあるけれども、そうした恩人ならば口に出すことではあるまい。

言葉を選んでから、彦四郎は思うところを言った。

「人物の出来不出来とか、誼とかいうことではござるまい。古い家には面倒なしがらみがござっての。そのせいで拙者は婿《むこ》養子の先でもあらぬ苦労をし、出戻ってはまた、かように御影鎧《おかげよろい》の番人をせねばなり申さぬ。そうしたしがらみのない分だけ、安房守様もおまえ様も存分に力を発揮なさることができるのでござろう」

靴を脱ぎ捨てて板敷に胡座《あぐら》をかき、釜次郎はしばらく彦四郎の顔を見つめた。

「おめえさん、やっぱし頭がいいな。そっちの不幸な事情は耳にしているがよ、そこまで筋立てて考えているとは思わなかった」

「拙者は無礼を言うておるのでござるよ。つまるところ、おまえ様も安房守様も実はさほどの人物ではない、と」

「図星なんだから仕様があんめえ。いかに優秀なおめえさんだって、二百五十年も積み上げられた重石《おもし》の下でにっちもさっちもいかなくなっている。金上げ侍にはそれがねえ。榎本なんて家は、そもそも俺のおやじが買った他人の家さ。おまけに、これは肝心のところだが、金上げ侍には金がある。おやじが榎本家の株をいくらで買ったか知ってっか。聞いて驚くな、千両だぜ、千両」

「口をお慎みなされよ、榎本様。いかに金で買《こ》うた御家人株にせよ、お父上のご苦労のおかげで今のおまえ様がござるのではないか」

彦四郎は思わず声をあらげた。この侍が遠からず幕閣に与《くみ》して天下の政《まつりごと》を支配するのかと思えば、反吐《へど》の出そうな気がした。

しかし、それにしても千両とは大したものである。同じ御徒士の株を、わが兄があやうく五百両で手放しそうになったことを考えれば、多少の時代のちがいこそあれ千両は法外の大金である。

幕府にしてみれば、食いつめ者の御家人よりも、御禄などどうでもよい金上げ侍のほうがよほど安心なのであろう。だから本来あってはならぬ御家人株の売買を黙認している。金持ちはまちがいを起こさぬからである。

それに、銭さえあれば存分に学問ができる。世話になる上司に十分な御礼もできようし、いざ機会に恵まれれば、粗忽《そこつ》なきように仕度も斉《ととの》えられる。同じ誼の引きなどがなくとも、出世の道はおのずと開かれる。

彦四郎は向き合うた膝《ひざ》の上で、拳《こぶし》を握りしめた。

「おまえ様にはかなわぬ」

嫌味ではない。しがらみにこだわらぬ身軽さも、裕福であることも、実力のうちであると彦四郎は思い知ったのだった。

「だとすると、この先は万事が銭の世の中と相成るのか」

怨嗟《えんさ》の声が彦四郎の咽《のど》を震わせた。

「銭ばかりじゃねえが、文無しじゃあ話にならねえ世の中はくるだろうぜ。俺ァ外国で、いやというほどそういう世間のしくみを見てきた」

「しからばお訊《たず》ねいたす。武士道はどうなるのか」

釜次郎は鼻で嗤《わら》った。

「武士道だと？――何だ、そりゃあ。俺も侍のはしっくれだから考えねえでもねえがよ。少くともおめえ、遠い昔の祖先の手柄を、二百五十年もこうして崇《あが》め奉《たてまつ》っているのが武士道じゃあるめえ。何だね、そのツラは。ガキの時分から神童の天才のといわれたおめえさんが、婿養子先じゃあ難癖つけられて離縁され、出戻って御影鎧の番人をくたばるまでするのが武士道てえやつか。ま、権現様《ごんげんさま》も罪なお方だの。てめえ一代のご政道ならともかく、末代までも呪《のろ》いをかけやがって」

「何を申すか、下郎」

彦四郎はたまらずに刀の柄《つか》を握った。

「おっと、浅野内匠頭《たくみのかみ》でもあるめえに、ご城内で刀を抜きゃあ、切腹のうえにお家はお取り潰《つぶ》しだぜ。それも武士道のうちだてえ了簡《りょうけん》なら、俺を叩《たた》っ斬《き》るがいい」

彦四郎はがくりと肩を落とした。すべては二百五十年の時の流れが、河岸に堆《うずたか》く積み上げたしがらみである。武士道が廃《すた》れたのではなく、武士そのものがついに身じろぎもできなくなってしまったのだと彦四郎は思った。

釜次郎は西洋軍服の膝を進めて、うなだれる彦四郎の肩に手を置いた。

「なあ、彦さんよ。俺ァ何も、おめえをおちょくりにきたわけじゃねえんだ。折り入って話がある」

「おぬしの話など聞きとうはない」

「聞きたくなくたって聞かせにゃならねえ。いいか、彦さん。俺ァじきに、海軍奉行にも出世する。和泉守《いずみのかみ》とかいう官位も頂戴《ちょうだい》できるらしい。そしたらおめえ、俺の下で働け。けっして悪いようにはしねえ。新しい国を造らにゃならねえんだ」

兄が言っていた出世の糸口が早々にやってきた。だが、釜次郎に与することは彦四郎の考える出世とはちがうような気もする。どこがちがうのかと考えてから、彦四郎は訊《たず》ねた。

「その新しき国とは、徳川の御世《みよ》でござるか」

釜次郎は彦四郎の頬《ほお》をなぶるほどの溜息《ためいき》をついた。

「そうじゃなきゃまずいのかい」

「拙者は、三河安祥以来の徳川御家人でござれば」

「御家人である以前に、日本国民だとはなぜ思えねえんだい」

わからぬ。おそらく釜次郎の言わんとするところは、忠義なるもののありかであろうけれど、それは外国にかぶれた考えであるとしか彦四郎には思えなかった。

「幕府には人がいねえ。その馬鹿《ばか》なやつらの中に、おめえは埋もれちまってる。ガキの時分から学問でも剣術でも俺がてんでかなわなかったおめえが、どうして埋もれちまってるんだ。なあ彦さん、俺の下に直れとは言わねえ。俺と一緒に働いてくれ」

ひとつだけ感じ入ったことがあった。この男はたしかに下郎で、言わんとすることもよくはわからぬが、情熱がある。保身のかけらもない、無私の情熱だ。

「即答は控えさせていただく」

と、彦四郎はそれしかないと信じた答えを口にした。

「なるほど、相変わらず優等生の答えだな。ところで――さっきから気になっていたんだがよ、どうして紅葉山の御蔵の中に、相撲取りがいるんだ」

彦四郎はぎょっとしてあたりを見回した。御影鎧の行列を目でたどってゆくと、西陽の届かぬ彼方《かなた》に、どうにも鎧には見えぬずんぐりとした姿があった。

「あれなるは、その、手伝いの力士でござっての。何ぶん鎧は目方がござるゆえ、力士の膂力《りょりょく》を恃《たの》まねば持ち上がらぬのだ」

「ああ、そうかね。だとしても、手伝いの者がどうして鎧の行列に並んでかしこまっていやがるんだ」

厄病神は世間の常識に欠くると見える。板敷に座るとか、物蔭《ものかげ》に潜むというならまだしも、三十領の御影鎧の三十一領目になって、ちょこなんとかしこまっているのであった。しかも、どうしたわけか大銀杏《おおいちょう》を前のめりにかしげて、しくしくと泣いているではないか。

「留学中は見るもの聞くものいちいちびっくりのし通しだったから、たいていのものには驚かねえけどよ。にしたってこいつは面妖《めんよう》だ。へえ、力士が御蔵の手伝いねえ。幕府の人材不足もとうとうここまできたか」

「ええと、実は内密の手伝いでござっての、この件はひとつよしなに」

「いよいよ面妖。そしたらよ、その内密の力士が、御門をいくつも潜《くぐ》ってどうやってここまできたんだね」

「それは、その、ええと――」

「紋付羽織に大銀杏てえのは、きっと名のある関取だろうぜ。その横綱だか大関だかが、どうしてほいほい泣いてやがる」

もはや言い逃れはできぬ。この先は本人に説明させるほかはなかろう。

「こら、九頭龍《くずりゅう》。おぬしなにゆえ泣いておるのだ。こちらに参って榎本様にご挨拶《あいさつ》らいせよ」

とたんに九頭龍は、行司の呼び出しを受けたかのように、袴の前をさばきながら立ち上がった。

「おお」

「返事はいいから早くこい。ここにこうしている事情を、おぬしの口から説明せよ」

九頭龍は泣き腫《は》らした顔を手拭《てぬぐい》で拭き、何だか花道を堂々と進む感じで歩み寄ってきた。全然悪びれぬ様子はさすがに神様である。

「九頭龍為五郎にごんす。けっして怪しい者ではござんせん」

十分に怪しい。釜次郎は六尺三十貫の影の中で、あんぐりと口を開けていた。

「ご説明をいたしもっす。わしは九頭龍の醜名《しこな》のごとく、福井藩松平越前守様のお抱え力士でごんす。越前守様は東照大権現様がご次男、結城《ゆうき》秀康公がご末裔《まつえい》にござって、ことのほか神君のご遺命を大切になされておりもっす。しからば御影鎧の手伝いは、越前守様より直々かつ内々に承わったのでごんす。内々のことゆえ、鎧のふりをしてそこに座っておりましたところ、何ともそこもとのご友情を耳にいたして、なおかつ彦四郎殿の忠心もまた胸に迫り申して、ううっ、このせちがらい世に、こんな美談があろうとは。ううっ、ううっ」

「わかった、わかった」

と、釜次郎はどっと頽《くずお》れた九頭龍の背を叩いた。

「わかったと言ったって、やっぱしわけがわかんねえけどよ。要するに俺ァ、四年の外国暮らしが長過ぎたってことだな」

釜次郎は聡明《そうめい》な顔をかしげて、短髪を両手で撫《な》で上げた。

ほっと息をつく彦四郎の耳に、下城をせかせる柝《き》の音が通ってきた。

十四

別所彦四郎の上に無為無聊《むいぶりょう》の日々が過ぎていった。

晴れて御役についたものの、むしろ出戻り部屋住みのころより一日が長く感じられるのだから妙である。

そもそも二百五十年の太平の世にあっては、どうでもよい務めの最たるものであるから交替役すらいない。本番の一日をおえれば、翌日は助番と称する休み、翌々日は非番で、早い話が三日に一度の登城である。その本番にしたところで出勤は朝四ッ、退出は九ッ半というのが大概の定めとなっていた。ちなみにこの時間割を西洋暦時法に当てると、おおむね午前十時の出勤、午後一時の退出である。残業については届け出る必要はないが、夕刻には拍子木が打ち鳴らされて下城をせかされた。蔵に施錠をしてしまえばその後は寺社奉行配下の火之番《かのばん》の領分で、蔵役が夜勤につくことはない。

もっとも、二百五十年にわたって蔵の中に鎮座したままの鎧兜《よろいかぶと》の手入れなど、それで十分なのである。兄がその仕事さえも疎《おろそ》かにしていたというのは、無聊を持て余した末に本来の務めまで見失ってしまったからであろう。ともあれそうした兄の堕落ぶりも責める気にはなれぬほど、御影鎧番《おかげよろいばん》は名ばかりの御役であった。

紅葉山には長さ十間、十三間という巨大な蔵がつごう八棟も建っていた。収蔵物の多くは書物であり、また近習の者どもが戦時に使用する武具や鉄砲である。それらが御影鎧同様の意味しかないはずはないのだが、ほかの蔵役人の仕事ぶりもだいたい彦四郎と同じであった。

出勤のたびにちがう顔ぶれがいるところをみると、本番、助番、非番の三交替ではあるらしい。つまりさすがに御影鎧のように三日に一日だけ番人がいるというわけではなさそうだが、それにしても四ツ登城の九ツ半さがりという怠惰な時間割は同じであった。

「おまえ様というお方はしみじみ律義《りちぎ》な侍だの」

繕いをおえた鎧を櫃《ひつ》の上に据えながら、九頭龍が感心したような呆《あき》れたような言い方をした。

御具足奉行に願い出て、五日続きの上番を許された。兄の不始末を片付けるには十日が必要と言うたのだが、「それではほかの役人にしめしがつかぬ」のだそうだ。で、四ツ前に登城して拍子木の鳴る夕刻まで、みっしりと働くことにした。

「そこもとのおかげを以《もっ》て、何とかきょうのうちにすみそうだ。かたじけない」

彦四郎は鉄札《てつざね》に漆を塗りながら、九頭龍の大きな背に向かって頭を下げた。

なぜ厄病神が手伝ってくれるのかという素朴な疑問はさて置き、大助かりである。九頭龍は強力《ごうりき》であるうえ、ふしぎなくらい手先が器用だった。彦四郎が板敷に座って仕事を始めると、蔵闇《くらやみ》の奥からすうっと現われて日がな手を貸してくれる。そして拍子木の音《ね》を聞くと、またいずこへともなく消えてしまうのである。

「そう急ぐお務めでもあるまいに、なにゆえこうまでせっせと働くのだ」

と、九頭龍はこの五日の間に十ぺんも口にしたことを訊《たず》ねた。今度ばかりは返答せいとでもいうふうに、彦四郎のかたわらにずいとにじり寄る。

「秋のご上覧がいつなんどきあるやもしれぬによって、一日でも早く修繕をしておかねばならぬ」

「ああ、ああ、そんな返事はもう聞きたくもないわい」

九頭龍は床を軋《きし》ませて、仰向けに寝転んでしまった。大銀杏の髷《まげ》が壊れぬように道具箱を枕《まくら》にして、切れ長の目を天井の梁《はり》に向ける。

「上覧も何も、征夷《せいい》大将軍は江戸を離れて京に居ずっぱりだろうが」

「これ九頭龍、口を慎め。上様に対し奉《たてまつ》りそのような言い方があるか」

「おまえ様にとっては大切な主《あるじ》でも、わしから見ればただの人間だわい。いちいち御の字はつけられぬ」

ごもっともである。すっかり馴《な》じんでしまって今さらそうとも思えぬのだが、この力士の正体は人間ではない神であった。

「それでも、いつ京からお戻りになられて、紅葉山にお成りになるやもしれぬではないか」

「ない、ない」と、九頭龍は仰向いたまま太い首を振った。

「おまえ様はよくは知らぬだろうが、わしは神じゃによって天下の動きなぞは手に取るようにわかっておるのだ。将軍は今やそれどころではない」

神と議論をしたくはなかった。本音を言うならば、彦四郎は上覧に供するために鎧兜の手入れをしているわけではない。兄が閑暇に呆《ほう》けて疎《おろそ》かにした父祖代々の務めを、当然のごとく果たしているだけであった。将軍家が京の二条城におわすことはもとより承知しているが、だからといって鎧兜の錆《さび》やほつれをなおざりにしておくわけにはいかなかった。

上覧に供するためというのは、いわば他人以上に働く理由である。ましてや手を貸してくれている神に対しては、そういう方便を言わねばなるまい。

「のう、彦四郎さんよ」

と、九頭龍は体を横向きに返して、けだるそうに腕枕をした。どうやら神の眼力は、彦四郎の胸のうちを読み切っているらしい。

「おまえ様、陣幕が引退せずばならなくなったわけを、ご存じかね」

唐突な質問である。彦四郎はにべもなく答えた。

「薩摩《さつま》藩の抱え力士だからであろう。気の毒な話だ」

「いんや」と、九頭龍は荒稽古《あらげいこ》に潰《つぶ》れた嗄《しわが》れ声で言った。

「陣幕は天下無敵でごんす。幕に入ってからは向こうところ敵なし、近ごろの決まり手というたら、立ち会い前の睨《にら》み倒しばかりでごんす」

相撲に執心のない彦四郎は、陣幕の取り口などは知らなかった。立ち会い前の睨み倒しというのは、いったいどういうものなのであろうか。

「そりゃあ、おまえ様。どの力士だって百中の百負けると決まっている相撲なんざ、とりたくもありません。へたにぶつかって怪我《けが》でもすれば、とたんにお払い箱でごんす。で、はっけよいと仕切ったとたんに、がっくりと肘《ひじ》をついて負けちまうのだ」

「なるほど。それが睨み倒しか。しかし、そんな取組が続いたのでは、たしかに面白くもおかしくもないの。高い木戸銭を払った客は、たまったものではない」

言ったとたん、彦四郎はひやりとした。これは唐突な話ではないと思った。

「おまえ様はおつむがよい。すなわち、興行が成り立たぬから、陣幕は引退のやむなきに至ったのでごんす。薩摩抱えのどうのというは、うまい噂《うわさ》を流したものでごんすな」

「何が言いたいのだ」

と、彦四郎は気色《けしき》ばんだ。錣《しころ》の縢《かが》り紐《ひも》を指先で弄《もてあそ》びながら、九頭龍は大あくびをした。

「わしら神の目から見れば、人の世は興行でごんす。戦国の世にしたところで、抜け駆けなぞは褒めた話ではないということをご存じか。ましてや天下泰平の世の中で、おまえ様のように何でも律義になそうとすれば、ほかの者の立つ瀬がのうなる。おまえ様はその律義さゆえに、みずから不運を招いてしもうた」

言わんとするところはわかる。天下泰平の世に生きる侍ならば、突出することがどれほど他迷惑《はためいわく》で、またその突出によってあらぬ災厄をおのが身に招くこともよく知っている。しかし、だからといって、神の言う「興行」に甘んずることが、彦四郎にはどうしてもできなかった。

「天下の大横綱になぞらえられては、悪い気はせぬわ」

彦四郎は笑いながら往《い》なした。

「はて、おまえ様は何か勘違いをなさっておるようだ。わしはおまえ様を陣幕になぞらえたわけではないのだが」

少し考えてから、彦四郎は漆を掃く手を止めた。

「みながみな睨み倒しに敗れておるのに、わしだけがまともに立ち会うているというわけだな」

「おまえ様はまったくおつむがよいわ。打てば響く。目から鼻に抜ける。その聡明な侍に、どうして世間の仕組みばかりがわからぬのかのう」

「わしがまちごうているのではあるまい。世間の仕組みとやらがまちごうているのだ。何ごとも手を抜いて、適当にやっていれば万事安泰だなぞと、そんな理屈が罷《まか》り通ってたまるものか」

「平安とはそういうものでごんす」

「ちがう」と、彦四郎は拳《こぶし》で床を叩《たた》いた。

「権現様が身命惜しまずお開きになった太平の世が、さなるいいかげんなものであろうはずはない。その証拠に、権現様の裔《すえ》たられる大樹公は、今このときにも二条城におわされ、御身いとわずお働きになっておいでではないか。さらば、わしがかように働くのも、上覧のあるなしではない。別所彦四郎は三河安祥以来の徳川の家人にござれば、わが祖が権現様より承った務めを、十全に果たしおるだけだ。わしはまちごうてはおらぬ。臣たる者の当然の務めを、抜け駆けじゃ迷惑じゃと譏《そし》るほうがまちごうておる。おい、聞いておるのか、厄病神。そこもとも八百万《やおよろず》の神々のはしっくれならば、少しは神様らしきことを言うたらどうだ。まったく、人間に説教なぞされおって、だらしのない」

九頭龍はやれやれとでもいうふうに身を起こすと、紋付羽織の肩をすくめてかしこまった。いったいにこの厄病神は、前任の貧乏神ほど横柄《おうへい》ではなく、総身に知恵が回りかねるかわりに気性はいたって素直なようである。

「おまえ様のおっしゃることは、いちいちごもっともでごんす」

「そうであろう。仕事を手伝わせておきながら説教を垂れるなど、本意ではないがの。癪《しゃく》に障《さわ》ったら許せ」

「しかし彦四郎どの――」

九頭龍は襟元《えりもと》を正すと、横綱陣幕の土俵入りを髣髴《ほうふつ》させる上目づかいで彦四郎を睨み上げた。

「まちごうておるのはたしかに世の中のほうでごんすが、おまえ様ひとりでさように正剣をふるうのは、あまりに不得要領というものだ」

彦四郎はためらわずに信念を口にした。

「武士道に要領なぞあってたまるか。いや、そもそも人の道に要領なぞないわい。義か不義か、選ぶ道はふたつにひとつでござろう」

「いくら何でも、それは多勢に無勢というものでごんす。おまえ様ひとりの力で世の中を変えることなどできはせぬわい」

これはいいことを聞いたと彦四郎は思った。胸のうちに燻《くすぶ》っていたひとつのとまどいが、神の言葉で解決されたのである。

新しき国造りのために、ともに働こうとあの榎本釜次郎は言った。それは世の中を変えようという改革の動議でもあり、また願ってもない出世の緒《いとぐち》にちがいなかった。

しかし、なぜか彦四郎は榎本の誘いを、即座に受け容《い》れることができなかった。渡し舟に乗ることをためらった。

そのとまどいの正体が、神の言葉でようやく解明されたのだった。

新しき国を造り、世直しをする人間ならほかにいくらでもいる。長州にも薩摩にも、水戸にも幕臣のうちにも、そうした有為の人材はたくさんいる。渡し舟には彼らが乗ればよい。

三河安祥以来の徳川の臣たるおのれがなすべきは、この二百五十年にわたる太平の日々が、けっして悪いものではなく、つまらぬ時代ではなかったと、たったひとりでも去りゆく世に向こうて叫ぶことではないのか。

武士道も人の道もよくは知らぬ。だが七十俵五人扶持《ぶち》の御徒士《おかち》の道は知っている。それは大義に生きるのではなく、小義に死する足軽の道である。

その灼《あらたか》なる御徒士の道を、「多勢に無勢」という神の一言が思いがけずに照らしてくれた。

「お言葉ではござるがの」

と、彦四郎は神に向き合った。

「物事の道理は、数の多寡《たか》で決まるものではござらぬ」

彦四郎の気魄《きはく》に睨み倒されんばかりに、厄病神の巨体はずいと退いた。

神の意のままにならぬ人間が、ひとりぐらいはいてもよいであろうと彦四郎は思った。

「別所家には祖宗より伝わる家訓がござる。お聞き下されるか」

彦四郎は着物の袖《そで》をからげた襷《たすき》を解くと、黒縮緬《ちりめん》無紋の御徒士羽織を着て、父祖の血染《ちじみ》をとどめる御影一番鎧に向き合った。

「かつて曾子《そうし》が、師たる孔夫子《こうふうし》より承った訓《おし》えでござる。自ら反《かえ》りみて縮《なお》からずんば、褐寛博《かつかんぱく》といえども、われ惴《おそ》れざらんや。自ら反りみて縮くんば、千万人といえどもわれ往《ゆ》かん、と。――さなる心構えを、匹夫《ひっぷ》の勇じゃと笑うなら笑われよ、九頭龍関」

神は嗤《わら》わなかった。

十五

秋が深まるほどに、兄の病はいよいよ篤《あつ》くなった。

その病状とは全然関係がないけれど、江戸八百八町の凋落《ちょうらく》ぶりも、まさしく厄病神にとり憑《つ》かれたかのようである。

まず貨幣価値が著しく下がってしまったので、商人にかつての勢いがなくなった。売ろうにも物が売れぬのだから仕方がない。またそのぶん、職人の手間賃も材料代も上がったから、建前の槌音《つちおと》さえ珍しくなってしまった。夏の大水で壊れた家々も、いっこうに修復される気配はなかった。

何よりも淋《さび》しく感じられるのは、市中に侍の数が少なくなったことであろう。もともと江戸は、常住の武士と町人が半々という特殊な町である。その侍の頭数の過半を占める江戸詰の諸国藩士が、参勤交代制度の事実上の撤廃で国に帰ってしまったのだから、侍は目に見えて減った。

とりわけ諸大名の下屋敷が犇《ひし》めく深川の小名木川《おなぎ》ぞいは、侍が減ったというより人が減った観があった。彼らの消費に頼っていた界隈《かいわい》の商店や職方は、いよいよ暮らしが立ちゆかぬ。

参勤交代は、正しくは廃止されたのではなく緩和されたのである。つまり幕府が諸大名に阿《おもね》ったわけなのだが、この政策に感謝する諸侯などひとりもいるはずはなく、むしろこれ幸いとなしくずしに、制度そのものがなくなってしまった。もはや幕府の権威失墜は誰の目にも瞭《あきら》かであった。

御徒士屋敷の母屋《おもや》では兄が唸《うな》っており、外に出れば江戸の町が呻《うめ》いていた。別所家の人々にとっては、家の内外に病魔が繞《めぐ》っているようなものである。

ある日彦四郎は、勤めからの帰りがてらふと思い立って、屋敷の裏土手を覗《のぞ》いた。一連の騒動のそもそもの発端である三巡稲荷《みめぐりいなり》の祠《ほこら》が、その後どうなっているかという怖いもの見たさであった。

折しも雲は厚く低く、鈍色《にびいろ》の天には凩《こがらし》がひゅうひゅうと鳴っていた。芒《すすき》が身の丈ほども生い立つ曠地《あれち》をどう探しても、破《や》れ祠は見当たらなかった。どうやら夏の大水に押し流されてしまったらしい。

当たるあてもない怒りにまかせて、彦四郎は大声を上げながらあたりの芒を薙《な》ぎ払った。たとえ無銘のなまくらでも、武士の刀は芒を薙ぐためのものではない。そうと思えばいよいよ遣《や》り場のない怒りがこみ上げて、彦四郎はえいえいと刀を振り続けた。

「これこれ、何をなさっておる」

振り返れば、瞼《まぶた》ににじむ汗の向こうに母が佇《たたず》んでいた。子供の時分、兄と二人してやはりこの芒原に刀をふるい、母に叱《しか》られた。まったくその日のままに、母はきつい目を据えて彦四郎を睨みつけていた。

「何ごとかと思うて出てみれば、大の大人が童《わらべ》のごとく芒を相手に剣をふるうておるとは、いったいどうしたことじゃ」

彦四郎は刃《やいば》を背の裏に隠すと、返す言葉もなく肩で息をついた。倅《せがれ》の内なる苦悩を見極めようとする母のまなざしが、眩《まば》ゆくてならなかった。

「刀を収めよ。人が見ておるではないか」

小名木川を行きかう川舟から、人々が珍しげにこちらを眺めていた。

刀を鞘《さや》に収めるとき、彦四郎は出戻りの部屋住みにこそふさわしい、その本身の痩《や》せようを恥じた。井上の家督を相続するときに譲られた肥前忠吉《ひぜんただよし》の刀は、むろん離縁の折に取り上げられた。そののちの差料《さしりょう》は、部屋住みのまま早逝《そうせい》したという見知らぬ叔父の遺品である。

使いもせぬ刀が、なにゆえ痩せているのであろうと、彦四郎は今さら疑った。無銘の数打ち刀は鞘に収めてもかたかたと身揺るぎのするほど痩せていた。もしかしたら歴代の部屋住みの男たちが、日ごろの鬱憤《うっぷん》晴らしに芒や据物を斬《き》り続けたせいかもしれぬと思った。物を斬れば刃は毀《こぼ》れる。毀れた傷を研ぎこめば刀は痩せる。

「もう研ぎにも出せぬ痩身《やせみ》にございます」

言いわけにもならぬことを、彦四郎は呟《つぶや》いた。母は涙ぐんでしまった。

愛する妻子と別れたこと、井上の家が焼けたこと、兄が病に倒れたこと——むしろおのれよりも母のほうが、次々と襲いかかる災厄に心を痛めているのであろう。

「彦四郎、来《こ》よ」

童のころと同じように、母は立ちすくむ彦四郎の手を引いてくれた。

「これ左兵衛。おまえ様にたっての頼みがある。聞いてたもれ」

枕元《まくらもと》に座ると、母はうつらうつらとまどろむ兄の顔を覗きこんだ。

「はい、母上。立っては聞けませぬがこのままなら」

熱にうかされながらも持ち前の酔狂を忘れぬのは、あっぱれである。むしろ病を得てからというもの、兄がときおり口にする洒落《しゃれ》は常よりも切れを増していた。

「むろんそのままでよい。母からの願いじゃ、よろしいか」

「はあ。今のわしにできることなど何もないと思いまするが」

「おまえ様の差料を、彦四郎に譲ってはくれまいか」

えっ、と驚いたなり、兄は死んだふりをした。少しもうろたえずに脈を探ってから、母は肩ごしに彦四郎を見た。

「亡《の》うなったのでは是非もあるまい。彦四郎、家伝の御紋康継《ごもんやすつぐ》はただいまよりおまえのものじゃ」

兄はたちまち息を吹き返して、「しばらく、しばらく」と病人らしからぬ力強い声を張り上げたが、彦四郎は委細かまわず床の間の刀架ににじり寄った。

別所家伝来の御紋康継は、物心ついたときから憧《あこが》れてきた名刀である。

「こら、彦四郎。わしの刀に触るな」

兄は仰向いたまま、呪《のろ》わしげな上目づかいで彦四郎を見上げた。

「母上からのたってのお頼みごとでございますぞ、兄上。御役も申し送られ、かように御徒士羽織も譲っていただいたのだから、ついでと言うては何だが、御腰物もわしに下されよ。いや、くれとは申しませぬ。歩くたびにかたかたと鞘鳴りのする瘦せ刀では、城中にて人とすれちがうにも気が引けるのです。せめて上番中だけでもお貸し下され」

答えも聞かずに彦四郎は、刀架に手を延ばした。

口伝《くでん》によれば、権現《ごんげん》様は大坂の陣にて身替りとなった父祖の忠勇を嘉《よみ》し、御影鎧番の御役とともにこの刀を賜われたそうな。

「了簡《りようけん》なされよ、左兵衛。いかに別所家のあるじとは申せ、厠《かわや》への往来もままならぬおまえ様が持っておってもいたし方あるまい。母が察するに、彦四郎もあれこれと悩みが多いのじゃ。家伝の刀を持てば力も出るであろう」

母は彦四郎に向かって、思わせぶりにひとつ肯《うなず》いた。

憧れの名刀を腰に差してみたかったということのほかに、他意は何もなかった。いわば武士としての執着である。しかし、母にはもうひとつの企《たくら》みがあることに、彦四郎はそのとき気付いた。

左兵衛はお腰物の手入れをしているのであろうかと、母はつねづね気に病んでいた。

たしかに縦の物を横にもしない兄のことであるから、母が気にかけるのも当然であった。兄が刀を手入れしている姿など、彦四郎もついぞ見たためしがなかった。

鋼《はがね》の刀身はなまものである。まめに手入れをしていなければたちまち錆《さび》が浮き、さらに放っておけば鉄《かね》の奥まで侵されてしまう。ましてや権現様から賜わった初代肥後大掾《だいじょう》康継の刀となれば、打ちおろしてから二百五十年を経ているのである。

「母上の願いとあらばいたし方あるまい。貸すだけじゃぞ、彦四郎」

兄はあんがいあっさりと了簡した。

「さすがは御当主どのじゃ。これ彦四郎、兄上は長い病にて、御刀の手入れもおろそかになっておるであろう。ただちに検《あらた》められよ」

母は晴ればれと命じた。どの家でも同じであろうが、当主の持つ家伝の刀とはそういうものなのである。主人を玄関先で送り迎えするときは、着物の袖にくるんで恭々《うやうや》しく扱うのが妻や母の務めだが、鞘の中の本身は誰も見てはならない。ましてや手入れがどうのという口出しなど、できるはずはなかった。

「ははっ、ではさっそく」

彦四郎が刀を押し戴《いただ》くと、兄はまた死んだふりをした。

肥後大掾康継は近江国《おうみ》下坂《しもさか》の刀工で、越前を経て江戸に移り、徳川家の御用鍛冶《かじ》として多くの名刀を遺《のこ》した。康継の一字は権現様から賜わったものであり、また茎《なかご》に葵《あおい》紋を切ることを許されたので、以後「御紋康継」あるいは「葵下坂」と呼ばれるようになった。幕府御用は当代で十二世を算《かぞ》えるが、名刀の誉れ高きはやはり初代の肥後大掾康継である。

父も祖父も、歴代の当主のすべてがこの一口《ひとふり》を大切な差料にしていたのだと思えば、押し戴く手が震えるほどに緊張した。

「では、ご無礼つかまつる」

息のかからぬよう懐紙を口にくわえ、作法通りに鞘の棟《むね》を左の掌に置いて、ゆるゆると柄《つか》を引く。

抜けば玉散る氷の刃――と思いきや、彦四郎の唇から懐紙がはがれ落ちた。

「おい、兄者」

彦四郎はついに声をあららげた。

「こら、死んだふりはやめろ。何とか言うたらどうだ」

かたわらから刀身を覗きこんだとたん、母は「ああっ」と叫んで打ち伏してしまった。錆が浮いているどころではない。刀身は真黒に腐っており、まるでごみだめの蓋《ふた》を開けたように、むっと腐臭が立ち昇っていた。

彦四郎は片膝《かたひざ》立って、蒲団《ふとん》の脇腹《わきばら》を蹴《け》った。

「起きろ、兄者。目を開けてこのざまをよう見ろ。わしは今の今まで、たいがいのことには腹を立てずに参ったがの、いくら何でもこれは怒るぞ。この御刀は、おじじ様が父上に譲り、父上が亡うなられたのちは、再びおじじ様が後生大切にお持ちになっておられた。それを家督とともに譲られてより二十年が経《た》つはずじゃ。その間、兄上はいったい何度お手入れをなされた。こら、死んでいないで答えろ」

あろうことか、兄はくっくっと不敵に笑った。

「何がおかしいのだ、兄上。笑いごとではあるまい」

兄は蒲団を被《かぶ》って笑い続けた。

「ああ、苦しい。そう目くじらをたてるな、彦四郎。御影鎧《おかげよろい》の錆を落とすのも億劫《おっくう》なわしが、刀の手入れなどできようものか」

「おっ、開き直ったな。にしても、この錆の浮きようはただものではないぞ。いったいいつから手入れをしておらぬのだ」

「ええと、ええと、あまりに昔のことなので忘れたわい」

彦四郎は床の間の棚を探って、手入れ道具を見つけ出した。なるほど埃《ほこり》にまみれて奥の奥から引き出さねばならぬほど、桐の小箱は使われた形跡もない。

「茎を拝見する」

「勝手にせい。あとは任せたぞ」

譲ったからには不始末もおまえの責任だとばかりに、兄は蒲団の中で体を丸めてしまった。

小鎚《こづち》で目釘《めくぎ》を抜き、柄と鍔《つば》をはずす。たちまち顕現した三葉葵の御紋と、「以南蛮《なんばんてつ》鉄於武州江戸越前康継作之《をもちいぶしゅうえどにおいてえちぜんのやすつぐこれをつくる》」の長銘に、彦四郎は刀を置いてにじり下がった。

刀身が体ならば、柄に隠された茎は刀の心である。兄の不始末によって体は傷《いた》められても、その心には別所家の名誉と矜持《きょうじ》が深く瞭かに穿《うが》たれていた。

彦四郎は畳に額をこすりつけて、御刀に詫《わ》びた。

「南無《なむ》八幡大菩薩《はちまんだいぼさつ》。南無東照大権現。ならびに別所家累代《るいだい》御先祖様の御みたまに申し上げ奉《たてまつ》りまする。家伝の御刀にかようご無礼を働きましたる段々、平に、平にお許し下さりませ。ただちにお研ぎ申し上げ、旧来あるべきお姿に復し奉りますれば、わが家に罰を下されませぬよう御願い奉りまする」

母はともに祈ったが、兄は蒲団の中でけらけらと笑った。

「ばかか、おまえ。このざまを見よ、バチならとうに当たっておるわい」

「何を申されるか兄上」

「わしの体ばかりではないわ。おまえの身の上にも、天罰は下り続けておるではないか」

思わず拳《こぶし》を握って尻《しり》を浮かせた彦四郎を、母が懸命に押しとどめた。

「左兵衛は熱に冒されて、どうかなっているのです。堪忍《かんにん》なされよ、彦四郎」

しかし蒲団の中のくぐもった声は、すこぶる正気であった。

「のう、彦四郎。わしは、おまえや母上や、御組頭様やご同輩が思うておるほどばかではないぞ。二十年も紅葉山の御蔵番を務めおれば、知らいでもよいことまで知ってしまうのじゃ。お父上やじじ様の代はまだよかった。ご公辺は力もあり、しゃんとしておったからの。じゃが、わしの代になってからというものその凋落《ちょうらく》ぶりというたら、まさしくつるべ落としに昏《く》ゆる陽《ひ》を見るがごとくじゃった。わしは十六の齢《とし》から二十年の間、その落日のありさまを見続けて参った。考えてもみよ、勝安房《あわ》だの榎本釜次郎だの、下賤《げせん》の金上げ侍どもが天下を差配せんとしておるのだぞ。そうでもせねばならぬほど、幕府には侍らしい侍がおらぬのじゃ。こんな世の中で、御影鎧の手入れなぞすれば本物のばかではないか。今さら言わでものことを言うがの、わしは井上軍兵衛がさほどの悪党だとは思えぬ。少くとも、わしも軍兵衛もおまえほどばかではない」

「悪い病じゃ」

と、彦四郎は兄の言葉を聞き流した。

やはり病んでいるのは兄ばかりではないのだ。屋敷の内なる病と、江戸の町を宰領する懈《け》怠《だい》の空気とは、実は同じものだと彦四郎は思った。

邪神どもがとり憑《つ》いたのは、病人ばかりの江戸市中にあって、おのれひとりが残された健常者だからではあるまいか――。

十六

ともあれ家伝の刀を研ぎにかけねばならぬと思い立ち、彦四郎が屋敷を出たのは霊巌寺の六ツの鐘が鳴る夕まぐれであった。

深川元町御徒士十五番組の刀剣御用は、昔から高橋《たかばし》を渡った向かい河岸《がし》の大工町にある、喜仙堂《きせんどう》という刀剣商ときまっていた。何でも有徳院《はちだい》様が紀州から江戸入りなされた折に同道した商人だそうで、研磨の技倆《ぎりよう》には定評があるうえ、代々の主人は鑑定の折紙に値がつくほどの目利《めき》きである。

御徒士屋敷から元町の小路に出るとじきに、黒雲のような影が彦四郎に寄り添うてきた。

「おお、九頭龍関。お蔭様《かげさま》で鎧兜《かぶと》の手入れはつつがなくおえ申した。ご助力かたじけのうござった」

それにしても、馴《な》れというは面白いものである。わが身に災いをもたらした厄病神であるにもかかわらず、御蔵の中で顔をつき合わせているうちに、憑神どころか他人とも思えなくなってきた。

九頭龍の横顔は心なしか淋《さび》しげである。

「もしや体のお具合でも悪いのか」

「は……いや、まちがってもそういうことはない。きょうはおまえ様に暇《いとま》を告げに参ったのでごんす。短いつきあいではあったがの、わしはどうも情に脆《もろ》いたちゆえ、人と別れるのが毎度つろうてならぬのだ」

「さようか。こっちはちっともつらくはない。ということは何か、兄上はまもなく本復するのだな」

「いやいや、それは甘い。初めに申したように、わしは数おる厄病神の中でも横綱格の邪《よこし》まな神じゃによって、去ったのちも当分の間は苦しんでいただくのでごんす。たいていの場合は命取りじゃが、左兵衛どのはわしらが最も苦手とする能天気なご気性ゆえ、いずれは本復するやもしれぬがの」

「ほう。それは祝着《しゅうちゃく》じゃな。わしとしては、あのような兄はもう生きようが死のうが、どちらでもよい。ときに、つまらぬことを訊《たず》ねるが、わが家を去ったのちはどこへ行くのだ」

九頭龍は歩きながら羽織の肩を怒らせ、太い首をぼきぼきと鳴らして闘志をあらわにした。

「この冬は一世一代の大勝負に臨むつもりでごんす」

「な、なんだそれは。あまり手荒なまねはいたすな。ただでさえ大変な世の中なのだ」

「そうは言われても、仕事じゃによって仕方がない。このところ厄病神は手ぬるいと、上のほうからもさんざ言われておるのだ。そこで、この冬は汚名返上起死回生面目躍如乾坤一擲《けんこんいってき》の大一番を仕掛けようと、日本中の厄病神を回向院《えこういん》の境内に呼び集めた。あそこの掛茶屋に、お染《そめ》と申すめっぽうな美人がおりましての、ご存じか」

「知らぬ。そのお染がどうかしたか」

「つまり、三役幕内の厄病神が、こぞってそのお染にとり憑くのだ。ただの風邪《かざ》っぴきではすまぬぞ。強力に伝染する、いわゆる流行性感冒というやつでの。看板娘のまわりをいつも取り囲んでおる男衆に、たちまちうつるのよ。その男衆が家に帰れば、一家もろとも感染する。題して『お染風邪』。どうだ、ひとりひとりにとり憑いていたのでは埒《らち》があかぬゆえ、この決まり手を使うことにした。妙案でごんす」

ひどい話ではあるが、神に逆ろうても仕方があるまい。回向院とは目と鼻の先でもあるし、せめて家族や御徒士衆に累《るい》の及ばぬ法はないものかと、彦四郎は多少の義理をからめて訊ねた。

「ふむ。それはさほど難しい話ではない。お染風邪は黴菌《ばいきん》によって感染するゆえ、外出から帰ったらまず舶来のシャボンで手洗い、塩水でうがい。それだけをまめにやっておれば心配はないのだ。シャボンはこのごろ日本橋あたりのお店《たな》でもあんがい安く売り出しておるゆえ、一家に一個ずつ前もって用意しておけばよい」

いったい悪いことを聞いたのか、よいことを聞いたのかわからぬが、とりあえずは得をした気分である。

高橋の袂《たもと》には、すっかり客足の遠のいてしまった屋台が、退屈そうに店を開けていた。

蕎麦《そば》屋の親爺《おやじ》は九頭龍の姿を認めるや、せっかく店先に据えた盛塩を蹴散らして湯気の向こうに逃げこんでしまった。

「蕎麦でもたぐってゆこうではないか。餞別《せんべつ》というては何だが、手を貸していただいた御礼に一献お供えいたす」

「ごっつぁんです」

内心は餞別も御礼もなかった。歩くみちみち、ふと大変なことを思いついたのである。貧乏神と厄病神が去って一件落着というわけではなかった。

たしか貧乏神の伊勢屋は、立ち去るに及んでこう言ったはずだ。

（貧乏神のあとといえば、厄病神でございますよ。で、その厄病神が憑いて七転八倒していただいたあとは――まあ、その話はよしにしておきましょうか。あんまりお気の毒だ）

正直のところ、もう矢でも鉄砲でも持ってこいという気分なのだが、三巡《みめぐり》の三番目に何がくるにせよ、身構えくらいは必要であろう。

親爺が「お待ち」と震える声で差し出す蕎麦をたぐりつつ、彦四郎はなるたけやんわりと、時候の話でもするように訊ねた。

「ところで九頭龍関。三巡稲荷に手を合わせてしもうたからには、わしはもう一番、土俵に上がらねばならぬのであろう」

熱い蕎麦をほんの二口でべろりと平らげ、つゆを啜《すす》りながら九頭龍は肯《うなず》いた。

「おまえ様との別れに臨んで、わしが悲しみ嘆いておるのは、実はそのことでごんす。貧乏神や厄病神のもたらす災いなど、過ぎてしまえば笑い話にもなるであろうがの。次なる神は邪神中の邪神ゆえ、とり憑かれたら洒落《しゃれ》にもならぬのだ」

湯気の向こうで、親爺が怨嗟《えんさ》の声を絞った。

「てやんでえ、この下衆《げす》野郎。神だか仏だか知らねえが、人の足元を見やがって。いいか、この彦四郎様はよ、同し人間の中でも人間がちがうんだぜ。剣を執《と》れァ直心影《じきしんかげ》流は男谷《おだに》道場の免許皆伝、学問だって昌平坂にその人ありと知られた秀才だ。ほんのガキの時分から、深川十五番組の御徒士衆はみんなしてこの彦四郎様のあしたを信じていたのさ。それがちょいと蹶躓《けつまず》いて安目を売ったからって、貧乏神の厄病神のはござりますすめえ。何でえ何でえその三番目てえのは。もう勘弁ならねえ、とり憑くんなら俺にとり憑け。どうせ老いぼれの夜鳴き蕎麦にァあすもあさってもねえんだ」

まくし立てられたとたんに、九頭龍は大銀杏《おおいちょう》をかしげてううっと声を詰まらせた。二の腕を瞼《まぶた》にあてて、さめざめと泣くのである。

「うっ、ううっ。神仏に情けはないが、人には情けがあるのだな。災厄の身替りに立とうなど、とうてい神仏にできることではないわい」

「あれ。そんじゃ、そこいらにある身替り不動だの身替り地蔵だのてえのは、何だかね」

「そんなもの、嘘《うそ》八百に決まっておろうが。情けを知らぬ神仏が、人の身替りになどなろうものか。だがしかし――わしはちがう。人の情けをあだやおろそかにはでき申さぬ。うまい手を教えるによって――」

と、九頭龍は彦四郎と親爺の顔を、提灯《ちょうちん》のあかりの下に呼び寄せた。大きい声で言えぬということは、人に紛れて彼岸の密偵でも潜んでいるのであろうか。三人は屋台の湯気の中に顔をつき合わせた。

「宿替えの秘法はすでにご存じだな」

彦四郎と親爺は目を見交わして肯いた。むろん親爺にはことの成り行きを包み隠さず伝えてある。

「彦さん、遠慮するこたァ何もねえんだぜ。俺ァ江戸ッ子だ。口はへらねえが、いったん声にしたことを四の五のは言わねえ」

「かたじけない」と、彦四郎は頭を下げた。

「要するに、三番目の神にも秘法を行使して、災いをこの親爺に振る、というわけでござるな、九頭龍関」

「どすこい」と、九頭龍は低い声で言った。

「同じ災いを蒙《こうむ》るにしても、たしかに前途有望なおまえ様よりは、あすもあさってもない親爺どののほうがましでごんす。ううっ、泣かせる泣かせる。申し合いは禁忌ではござるがの、おたがいそれでよいというのなら、わしからも上のほうに口添えをしておく」

「そこもとに迷惑はかからぬか」

と、彦四郎は他人とは思えぬ厄病神の身の上を案じた。

「心配には及ばぬわい。神と人との申し合いはたしかに禁忌じゃがの、人の命運を定むるあの世はあんがいお役所仕事じゃによって、顔見知りの役人に頼みこめば何とでもなる。何しろ、千年万年、未来永劫《えいごう》の付き合いゆえ。ま、お任せあれ。どすこい、どすこい」

親爺はいかにも肚《はら》をくったように、彦四郎に向かってにっこりと笑い返した。

「よいのか、親爺」

「四の五のは言わねえ、俺ァ江戸ッ子だ。ところで厄病神さんよ、その三番目の神様ってえのは何ものかね。まあ何だってかまやしねえが、どうなるにしたって気構えはしておかにァならねえ」

九頭龍は意外そうに、きょとんと大きな目を瞠《みは》った。

「それは親爺どの、こう、貧乏神、厄病神とくれば、次なる出番の見当は大方つきそうなものだが」

親爺はひとつふたつと指折り算《かぞ》えてから、「わかんねえ」と小首をかしげた。

「もったいをつけねえで、きっぱりと教えてくんねえ。四の五のは言わねえ、俺ァ江戸ッ子だ」

さて、相撲でいうなら結びの一番の土俵に上がるのは、いったい誰であろうと彦四郎も考えた。ともあれ邪神の横綱であることにちがいはない。たちまち思いついて、彦四郎は血の気を失った。

九頭龍はきっぱりと言った。

「むろん、死神でごんす」

とたんに親爺は、まるで俄《にわ》か雨に遭《お》うたかのようにさっさと店じまいを始めた。

「やめ、やめ。すまねえがこの話はなかったことにしてくんな。はい、きょうは早々と店じまい。帰った帰った」

卑怯《ひきょう》者、と思ってはみても、情けを翻《ひるが》えされて文句を言える立場ではなかった。彦四郎は控えめに苦言を呈した。

「四の五のは言わぬ、とか」

「へいへい。四の五のは申しやせんが、二つ三つぐれえは言わさしていただきやす。貧乏も病気も慣れっこだがよ、あいにくこちとらまだ死んだためしがねえもんで、こればかりはご免蒙りやす。そんじゃ、ごめんなすって」

親爺は屋台の天秤《てんびん》を担《かつ》ぎ上げて、さっさと行ってしまった。

要するに、江戸ッ子であった。高橋の夕まぐれに消えて行く後ろ姿を見送りながら、彦四郎はこのさきの運命についてしばらく考えねばならなかった。

「死にたくはなかろう」

あてのはずれた九頭龍は、気まずそうに俯《うつむ》いて、灯籠《とうろう》の光に倒されたおのれの影を踏んだ。

答えることができなかった。侍なのだから、死を怖《おそ》れてはならぬ。だが大義のかけらもなく、ただ神の意のままに死するは武士の本懐とはいえぬ。大坂の陣において権《ごん》現《げん》様の身替りとなった祖宗は、大義に殉じたのである。太平の世に生きたそれからの祖も、むろん祖父も父も、家を残し子らを残し、大義たらずとも小義をつくして死んだのである。そのささやかな義すら全《まっと》うできぬおのれが、神の意のままに死するは犬死にであると彦四郎は思った。

「拙者には、なさねばならぬことがござる。いや、これまで何ひとつなしてはおらぬのだ」

草履の爪先《つまさき》で影を踏みながら、九頭龍は悲しげに諭した。

「たしかにおまえ様は、持って生まれた実力を何も発揮してはおらぬ。しからば、やはり宿替えの秘法を使うほかはあるまい。力添えはさせてもらう」

二度の宿替えを願い出たのは、つまるところわが身かわいさであったと彦四郎は思った。恨みつらみだのお家大事だのとさまざまの理由をつけたが、おのが心の奥を凝視すれば、ただ貧乏と病とを怖れただけの、卑怯きわまる行いであったように思えた。そして妻や子を、母や兄やその家族らを、みな不幸にしてしもうた。

「いや、武士として男として、命の身替りを立つることなどできぬ」

「ならば言わせてもらう。家康は戦陣において三十の身替りを立てた。おまえ様の先祖は、実にその身替りとなって果てたではないか」

「ちがう」と、彦四郎は神に抗《あらが》った。神は人間を見くだしている。人間は神の考えるほど愚かではなく、弱くもない。

「わが祖は、権現様の身替りとなったのではない。権現様はわが祖を身替りとなさったのではない」

「わからぬ。どういうことだ」

「わが祖は太平の世の礎《いしずえ》となられたのだ。むろん権現様も、おのが命ひとつを惜しまれたわけではござらぬ。かくして戦のない世が今日まで、二百五十余年も続いておるのだ。大義に生き、大義に死するとはそういうものでござろう」

「まいった」

と、九頭龍は腰を割って頭《こうべ》を垂れた。

「おまえ様はまことにおつむがよい。とうていわしの相手ではないわい。ではどうする。甘んじて死神に憑《つ》かれるか」

「さて、どうしたものであろう。犬死にをしとうはなし、さりとてまさか他人に死神を振ることも本意ではない」

「まったく、三巡の災難など誰にふりかかってもよかりそうなものを、選《よ》りにも選ってておまえ様のようなひとかどの人物に」

九頭龍は昏《く》れなずむ深川の空を見上げて、天を呪《のろ》うような溜息《ためいき》をついた。

その白い息の行方を追いながら、彦四郎はふと思いついたことを言った。

「拙者は、天に選り抜かれたのかもしれぬ。そう思わねば、やがて来たる死神にまみえる顔がない」

「何と勇ましいことを――」

彦四郎は西空に輝く夕星《ゆうずつ》を仰いだ。剣を振り、書物に向き合うた精進の日々がありありと甦《よみがえ》るのは、死神が間近に迫っているからであろうか。

「顧《かえり》みて努力精進に憾《うら》みはない。さなる武士たればこそ、天は拙者を選んだのだと思いたい。勝安房様にも、榎本釜次郎にも、畏《かしこ》くも大樹公にもできぬことを、神仏はわしに望んでおるのであろう」

「神仏はおまえ様の思うほど偉くはないぞ」

「しからばその偉うはない神仏に、人間の偉さを見せてやるだけだ」

九頭龍はしばらく夜空を仰いで物思いに耽《ふけ》ってから、羽織を脱いで天高く放り上げた。抱き稲の紋所をしらじらと翻して、羽織は群青《ぐんじょう》の闇《やみ》に溶け入ってしまった。

「餞《はなむけ》の土俵入りにごんす」

着物の襟を抜き上げて、六尺三十貫の巨体をあらわにすると、九頭龍は大地を揺るがして四股《しこ》を踏んだ。

「これ、よさぬか九頭龍関。人が笑うておるではないか」

「どすこい。人目を憚《はばか》る土俵入りがあるものか。笑わば笑え。もはや厄病神にできることは、これくらいでごんす」

どすこいどすこいと雄叫《おたけ》びを上げながら、九頭龍は腕《かいな》を突っ張り腰を割って、高橋を渡って行った。

やがて見る間に、その白く猛《たけ》き背中は彼岸の闇に呑《の》まれてしまった。

十七

大工町の喜仙堂はすでに暖簾《のれん》を下げてはいたが、来意を告げると快く店の中に招き入れてくれた。

間口はわずか二間半の小店だが、鰻《うなぎ》の寝床のように奥が深い。帳場の先は小座敷が並び、つき当たりの土間に百目蠟燭《ひゃくめろうそく》を立てて、老いた主人が刀を研いでいた。徒弟が師に訊《き》きもせず客を招き入れたところをみると、店閉《みせじま》いのあとに傍目《はため》を憚《はばか》って錆刀《さびがたな》を持ち込む客は珍しくないのであろう。

喜仙堂には何度か訪れたことがある。井上の家督を継いだときに、軍兵衛から譲られた肥前忠吉《ひぜんただよし》はやや刃《やいば》が眠っているように見えたので、こっそり喜仙堂に持ちこんだ。見るだに繊細な直刃《すぐは》の忠吉をめったな研師に託すわけにはいかなかった。

そのときも出来映えには驚かされたものである。喜仙堂は刀を知りつくしていた。

「厄介が厄介をひっさげてきたか」

と、相変わらず口が悪い。もっとも、名人と呼ばれる人はみな似たものであろう。人間よりも物を信じ、物を愛していれば偏屈にもなる。腕を上げれば上げるほど、人間からは遠ざかり、またその隔りの分だけ人間が馬鹿に見えるのかもしれぬ。

「すこぶる厄介な錆刀でござるが、ご覧いただけるか」

「どのような厄介者でも、わしに研げぬ刀はないわい」

喜仙堂は鍛冶《かじ》装束を着、烏帽子《えぼし》を冠《かむ》っていた。研師は職人であるから、刀鍛冶ほどの気構えは要らぬはずだが、どうやらそのあたりからして名人はちがうらしい。土間の隅には同じ白無垢《しろむく》の弟子が二人、片膝《かたひざ》を立てて神妙に師の手元を見つめている。

いったい齢《とし》はいくつになるのであろう。彦四郎が祖父に連れられて初めてこの店を訪れたときにも、喜仙堂は今と同じ老人であったような気がする。

老師が砥石《といし》から身を起こすと、弟子のひとりがにじり寄って刀に柄杓《ひしやく》の水をかけた。たちまち雲居を離れた月のような輝きが、かたわらに佇《たたず》む彦四郎の瞳《ひとみ》を射た。

「何と鑑《み》る」

喜仙堂が刀を目の前にかざしたまま訊《たず》ねた。彦四郎は莫蓙《ござ》の上に両膝を屈して、立姿の体配《たいはい》を眺めた。

腰反りの高い、立派な刀である。茎《なかご》は白布に包まれているが、踏ん張りの強い姿からすると磨上《すりあ》げてはいないであろう。生《うぶ》の古備前《こびぜん》だとすれば、どこかの大名家にでも伝わる逸品であろうか。

「友成《ともなり》か正恒《まさつね》か、いずれにせよ備前の大業物と鑑ますが」

むろんそのような名刀は見たためしもない。だが鑑刀の知識からすると、そう言わざるをえぬ太刀であった。

「当たり、もしくは当たり同然と言いたいところだが、はずれだ。近くに寄ってよう見てみい」

喜仙堂は刀身に指を添えて、蠟燭の炎にかざした。

「いくぶん、鉄《かね》が若いかと」

這《は》い寄って覗《のぞ》きこめば、たしかにそう見えた。

「ふむ。おまえ様はなかなか刀が見えるな。爺様《じいさま》は兄上よりおまえ様を見込んでおられたようだが、なるほどさもありなんというところだ。侍の値打は学問でも武芸でもようはわからぬが、刀を見る目で判然とするものよ。上ッ面《つら》ばかりの侍はまず刀が見えぬ」

喜仙堂は盥《たらい》の水を右の掌に掬《きく》して、刀の物打ちのあたりに注いだ。

「これが当代の刀だといえば、にわかには信じられまい」

「まさか、とは思いますな」

「ところが、そのまさかだから驚くわい。月山貞一《がっさんさだかず》という、おまえ様と同い齢《どし》ほどの若い刀鍛冶の手になる古備前の写し物だ」

「貞一、ですか。聞き覚えもない名でございますが」

「水心子《すいしんし》正秀の高弟に、奥州月山鍛冶の倅《せがれ》で貞吉《さだよし》という上手《じょうず》がおってな。それも名人にはちがいないのだが、その養子の貞一の作刀がこれだ。はてさて、いったいどうしたものやら、このごろの若い鍛冶にはまこと驚かされる。侍の権威が地に堕《お》ち、性根もまた腐り切っておるというに、刀ばかりは古刀の名手に迫る技倆《ぎりょう》が続々と現れる。この貞一ばかりではないぞ。四谷正宗と謳《うた》われる清麿《きよまろ》、大慶直胤《たいけいなおたね》、固山宗次《こやまむねつぐ》、長運斎綱俊、細川正義、運寿是一《うんじゅこれかず》、左行秀《さのゆきひで》――少くも天保よりこちらの刀の中には、目を瞠《みは》るばかりの出来が数多い」

「それは、尚武《しょうぶ》の気風の表れかと」

「さようかな」

と、喜仙堂は刀を弟子に手渡して向き直った。日がな研ぎ場に籠《こも》りきっているはずていた。なのに、喜仙堂の顔には風雨に晒《さら》され、陽光に穿《うが》たれた漁師のような深い皺《しわ》が刻まれていた。

「腰抜け侍どもの掛け声だけで、尚武の気風が醸《かも》し出されるとは思えぬ。よしんばそうであるとしても、名刀は需《もと》めに応じて次々と世に出るものではない」

研ぎの名手であるとともに、当代一の目利《めき》きと称せられる喜仙堂の言葉に、彦四郎は心を揺り動かされた。

「では、なにゆえに」

刀を鑑る鋭い目つきのまま彦四郎の相を睨《ね》めつけながら、喜仙堂はふいに閑吟集の一節を口ずさんだ。

「ならぬ徒花《あだばな》ましろに見えて、憂《う》き中垣の夕顔や――咲いたところで実を結ばぬ徒花は、ことさら美しいものだ。しかもおのれを徒花と信じぬがゆえに、徒花はなお美しい」

酔狂とは思えなかった。だとすればいったい何を言わんとしているのかと考える間もなく、「お腰物《こしら》を拝見いたそう」と喜仙堂は彦四郎の刀袋に目を向けた。

家伝の康継《やすつぐ》は拵えをはずされ、飴色《あめいろ》に灼《や》けた休め鞘《ざや》に収《しま》われている。喜仙堂は刀を両手で押し戴《いただ》いた。

「恥ずかしながら手入れを怠りました。どうか驚かれませぬよう」

「錆に驚いて研師は務まらぬ」

とは言ったものの、果たして鞘を払ったとたん喜仙堂は顔をしかめた。

「はあ。この立姿には見覚えがある。かつて爺様からお預りして研ぎにかけたものだ」

彦四郎はいよいよ恥じ入った。刀は地鉄《じがね》も刃紋もわからぬほどの錆びようである。それでも立姿だけで記憶を喚起するところは、さすがであった。

「家伝の康継にござりまする。ちと事情がござって、かくなる次第となり申した」

喜仙堂はいかにも世を果無《はかな》むような溜息《ためいき》をついた。

「このごろではべつに珍しいことではない。お家の事情が格別というわけではないから、そう恥じ入ることもあるまい。わしとしては、またか、というところだ。まあ、それはそれとして――」

と、喜仙堂は彦四郎の顔色を窺《うかが》いながら、少し言いためらうふうをした。

「爺様には申し上げられずにいたことを、言うてもよいかの」

「何なりと」

答えてから、彦四郎はひやりとした。言いづらいことといえば、おそらく研ぎ代であろう。ここまで刀を傷《いた》めてしまったのでは、研ぐにしても相当の手間がかかるであろうし、あるいは言い方から察するに、祖父が持ち込んだときの研ぎ賃が未払いであるとも思えた。今も昔も、別所の家に余分の金はなかった。

しかし、彦四郎の懸念《けねん》はまったくの見当はずれであった。

「茎を拝見いたします」

と、喜仙堂はもういちど刀に礼をつくしてから、休め鞘の目釘《めくぎ》を抜いた。

「では、この際だからはっきりと申し上げる。家伝の御刀は、御紋《ごもん》康継ではない」

えっ、と彦四郎は腰を浮かせた。湿った冷ややかな風が、土間を吹き過ぎていった。

その風に追われるようにして、弟子たちはそそくさと立ち去ってしまった。

研師が武家の愛刀にけちをつけた。これが稀代《きたい》の目利きの一言でなければ、その場で無礼討ちである。

「妙にはっきりと申されましたな」

心を鎮《しず》めながら彦四郎は言った。

「そこまではっきりと申されるのであれば、さなる断定の理由をお聞かせ願いたい」

喜仙堂はひとつ肯《うなず》いて、彦四郎に茎を向けた。

「剣形《けんぎょう》の越前茎、銘も本歌《ほんか》に似せて上手に切ってござるが——ほれ、この『継』の字の丸みは初代肥後大掾《だいじょう》の極《きわ》めどころでの。これが二代後代となれば直角に曲がる。ただし、『以南蛮鉄於武州江戸越前康継作之《なんばんてつをもちいぶしゅうえどにおいてえちぜんのやすつぐこれをつくる》』という銘は作者の勇み足だ。『作之』と切るは二代以降でござって、初代はきっと『康継』で止める」

「ならば、初代肥後大掾ではないと申されるのだな」

汗ばむ掌を袴《はかま》で拭《ぬぐ》いながら彦四郎は訊き返した。

「いや。銘の『継』の字は初代、しかし『作之』は初代にあらずというあからさまな矛盾からすると、後代でもござるまい。今はかくなる錆にて鉄や刃をとやかくは申せぬがの、以前に爺様から拝見いたしたときには、ひとめで贋作《がんさく》と知れ申した。よくできてはおるが、鉄に力がない。沸《にえ》も足らぬ。一門の手癖である鎬地《しのぎじ》の柾目《まさめ》もない。さらばこの御刀は初代肥後大掾どころか後代康継でもござらぬ」

ああ、と声にならぬ呻《うめ》きを洩《も》らして彦四郎は萎《な》えしぼんだ。体中の血を抜かれてしまったような気分であった。

「しかし、わが祖はこの御刀を畏《かしこ》くも権現《ごんげん》様より――」

「それを言うな。どういう言い伝えがあろうと、言葉に形はない」

おそらく祖父は、この刀の来歴を喜仙堂に滔々《とうとう》と語ったのであろう。それを聞かされてしまえば、まさか贋物だなどとは言えまい。

「さて、どういたすかの」

と、喜仙堂はしおたれる彦四郎に答えを求めた。金と手間をかけて研ぎ上げるほどの刀ではないが、どうする、というふうに聞こえた。

彦四郎はしばらく考えねばならなかった。

権現様が贋作刀を褒美に賜《たも》うはずはない。まさか金に困って家伝の刀を売り払う不届き者もおるまい。だとすると、この刀を賜わったという言い伝えそのものが嘘《うそ》ということになる。なお怖《おそ》ろしいことには、刀の来歴が嘘ならば父祖が影武者として大坂夏の陣にて果てたという伝承まで怪しくなる。

二百五十年の間のどこかで、祖宗の誰かしらが伝説をでっち上げた。父も祖父も、嘘を矜《ほこ》りと信じて生きたことになる。

「ご亭主に申し上げる」

考えに考えた末、彦四郎はやはりこれしかないと思い定めた意志を口にした。

「おっしゃる通り、言葉に形はござらぬ。伝承の真偽を証すものは、形あるこの刀でござる。しかし、形なき言葉には、信ずる者の心がこもっており申す。よしんば刀が贋物にせよ、伝承が嘘にせよ、そうと信じて勧《つと》め力《つと》めた祖宗の心にまさる真実はござりますまい。その努力精進さえも過《あやま》ちと断ずる勇気を、拙者は持ちませぬ。たとえ天下の目利きがこぞって贋物と鑑じましても、別所の家に生まれ育った侍にとって、この御刀は正真正銘の御紋康継にござりまする。畏くも東照神君より賜わった、葵下坂《あおいしもさか》の名刀にござりまする。どうか、ご亭主もそうと信じてお研ぎ下されよ」

　喜仙堂はしばらく眩《まば》ゆげに目を凝らして、彦四郎を見つめていた。それから、ことさら錆の盛り上がった鎺元《はばきもと》に指を添えて息をついた。

「この錆は芯鉄《しんがね》まで侵しておる。見映えはようなっても、刀としては役に立つまいぞ」

「けっこうでござります。なにとぞ」

「練達の士たるおまえ様には、ふさわしからぬとも思うがの。あえてそれでもよいと申されるなら、喜仙堂の研ぎをご覧にいれよう」

　喜仙堂は立姿をためつすがめつ眺めながら、ふと刀ごしに彦四郎を見つめて呟《つぶや》いた。

「ならぬ徒花ましろに見えて、憂き中垣の夕顔や――か」

十八

帰途の足どりは重かった。

気鬱《きうつ》になるのも当然である。二百五十年にもわたる父祖の苦労が、両肩にずしりとのしかかるかのようであった。しかも歩むほどに、この重みを負うているのがおのれひとりではないことに気付いた。

小名木《おなぎ》川の両岸に沿うて続く大工町は、正しくは海辺大工町と称して、元来は舟大工の多く住まう町である。ほのかな灯火をともして夜なべに舟板を削る大工の姿などが目に留まれば、御家人ばかりではなくやはり誰もが、父祖の労苦を両肩に担《かつ》いで生きているのだと思い知らされた。

人には命があり、その命は親から授かるのである。そしておのれもわずかな命の間に子をもうけ、代々の苦労におのれの苦労を上乗せして、子らに申し送る。そうした営みが遥《はる》か太古から続いており、またこの先も遥かに続くのかと思えば、神々が言うていた通り、人間などはやはり虫けらだという気もしてきた。

暦はじきに師走《しわす》である。日々につのる寒さと、嫌でもやってくる年の瀬の予兆が、不景気な江戸の町をいっそう重く暗くくるんでいた。

妙に艶《つや》のない、墨流《すなが》しの闇夜《やみよ》であった。目の先の溜息ばかりが白く際立《きわだ》った。辻灯《つじどう》籠《ろう》のあかりも、筆で刷《は》いたようにぞんざいな黄色を路上に投げ落とすだけである。

ふとその辻灯籠の光の中に、赤い手鞠《てまり》が弾み出た。とっぷり日も昏《く》れた今ごろにいったいどうしたことであろうと、彦四郎は手鞠を抱き上げた。

路地木戸の柱の蔭《かげ》から、稚児輪《ちごわ》を結った小さな女の子が顔を出していた。

「ごめんなさい、お侍様」

よほど無礼を働いたと思ったのであろう、娘はべそをかいている。

木戸の奥は裏長屋で、路地のまんなかに切られた泥溝《どぶ》を流れる水音のほかには、話し声すら聞こえなかった。彦四郎が微笑《ほほえ》みかけて手招きをすると、娘は怖《お》じながら近寄ってきた。

「夜遊びなどしていたら、天狗《てんぐ》に拐《かどわ》かされるぞ」

市太郎と同じ齢ごろであろうか、と思ったとたん胸苦しくなった。もともと「彦様、彦様」と近在の子らがしきりになつくほどの子供好きだが、目に入れても痛くないわが子と生き別れてからは、なるべく遊び相手になることも避けていた。市太郎のおもかげがよぎると、つらくてならぬからである。

「さあ、おうちへお帰り」

彦四郎は目の高さに屈《かが》みこんで、娘に手鞠を渡した。

「わしが送ってあげよう」

すると娘は、裏長屋を振り返ってひどく悲しい目をした。

「おうちには誰もいないの」

親はいまだ稼ぎから帰らぬのであろうか。

「だが、外に出てはならぬぞ。天狗などはいないが、人拐《さら》いはいる」

たしかにそうした危うさを感じさせるほど、娘は器量よしだった。稚児輪などを結っているところをみると、親は芸人なのかもしれない。着物は腰上げをした粗末な絣《かすり》だが、だらりに結んだ帯と、素足につっかけた草履の鼻緒は火のように赤い。そうしたなりからすると、よほど親から愛されているはずの子供が、ひとりで置き去られていることに彦四郎は不穏を感じた。

「では、こうしよう。父上か母上が戻られるまで、わしがおまえのおうちにいてやる。さ、おいで」

手を引いて立ち上がると、娘は彦四郎の袖《そで》を摑《つか》んで抗《あらが》った。今にもわっと泣き出さんばかりの顔である。家に何かしらのっぴきならぬ事情があるのは明らかだった。

「家には誰かいるのだな」

袖ぐるみに彦四郎の腕を引き寄せて、娘は肯いた。

「なぜ誰もいないなどと嘘をつくのだ」

「おっかちゃんと、知らないおじちゃんがいるの。おじちゃんが帰るまで、あたいは外にいなけりゃいけない」

それで大方の見当はついた。そうした事情ならば近所の世話になるわけにもいかず、路地で鞠でもついているほかはないのだろう。

「夕飯は食うたのか」

娘は悲しげにかぶりを振った。

「さようか。ならばわしの家にこい。なに、そこの高橋《たかばし》を渡ってじきのところだ。帰りは送ってやるから心配するな」

飢えと寒さがよほど身に応《こた》えていたのであろう、娘は「ほんとに」とにっこり笑った。

彦四郎は羽織を脱いで娘の肩にかけた。裾《すそ》が曳《ひ》いてしまうほどの身丈なので、尻《しり》を端折《はしょ》って赤い帯にからげなければならなかった。

「いいです、いいです。お侍様のお羽織なんて、もったいないです」

悧発《りはつ》な物言いであった。彦四郎は構わずに羽織で娘の体をくるみ、花の茎のような首に腰手拭《こしてぬぐい》を巻いてやった。

「これはの、ただの羽織ではないぞ。黒縮緬《ちりめん》無紋の御徒士《おかち》羽織じゃ。どうだ、温いであろう」

市太郎は寒い思いをしておらぬであろうか、と彦四郎は思った。その後、井上の家にどのような御沙汰《おさた》があったかは知らぬが、焼け出された冬をいったいどう過ごしているのであろう。娘の手を引いて歩き出すと、拭いようもないほどに涙がこぼれて、彦四郎は袖で鼻を被《おお》った。市太郎のことを考えると、からきし気弱になるおのれが情けなかった。

「お父上はどうなされた」

と、彦四郎は気を取り直して訊《たず》ねた。しかし返ってきた娘の声は、彦四郎を二度泣かせた。

「こしらえたお舟に乗って、補陀落山《ふだらくせん》に行っちまったの」

たぶん、貧しい弔いの折に坊主がそう諭したのであろう。舟大工であった父は、あの大水の日に、でき上がった舟を守ろうとして海まで流されてしまったにちがいない。

そして母は、生きんがため夜鷹《よたか》に身を堕《お》とした。

まこと世も末である。ご政道がきちんとしてさえいれば、たとえ不運は免れずとも不運によってもたらされる不幸は、救済できるはずであった。大水は天災だが、人々のその後の苦労はご政道のもたらした人災というほかはなかった。

銭金のあるなしではあるまい。そもそも救恤《きゅうじゅつ》の意志が見えぬ。将軍家は永らく京にお成りのままご帰東の様子もなく、その間にも老中若年寄の幕閣はころころと人が入れ替わる。そんなことでは庶民の苦労にまで、目が届くわけもなかった。

もし有徳院《はちだい》様の御代であれば、この娘は救われているはずだと彦四郎は思った。紀州からお出ましになった、いわば他所者《よそもの》であらせられるがゆえに、吉宗公は江戸市民の暮らしぶりにことさら心を摧《くだ》かれたと聞く。おそらく水の引かぬうちにこの界隈《かいわい》にまでお成りになられ、たちまち救恤の采配《さいはい》をふるわれたことであろう。

そう思えば、娘の身なりのよさがむしろ傷《いた》ましかった。母なる人は、体を売ってでも体面を繕い、苦労をはたに悟られぬよう気配りをしているのであろう。その母ばかりではなく、ご政道の至らなさを持ち前の見栄で被おうとするのは、江戸ッ子の面目であった。いわば地に堕ちた武士の面目を、江戸ッ子が見栄で支えてくれているのである。

これは申しわけないことだと、彦四郎は思った。一襲《ひとかさね》の御徒士羽織をもってしか報いることのできぬおのれの不甲斐《ふがい》なさを、彦四郎は心から恥じねばならなかった。

「ところでおぬし、名は何と申すのだ」

台所の板敷に座って膳《ぜん》が斉《ととの》うのを待ちながら、彦四郎は娘に訊ねた。

別所家の夕餉《ゆうげ》は遅い。病床の兄に粥《かゆ》を食わせてから一家の食事が始まる。御役を引き継いでからは、それまで末席でちんまりとかしこまっていた彦四郎が上座である。右側には三人の甥姪《おいめい》が、左側には母と兄嫁が座る。

「おやおや、名前もご存じないのかえ。まったく、彦様の子供好きも少々度を過ぎておられますなあ」

膳を運びながら兄嫁が言った。言葉に刺《とげ》があるのは生来の気性というもので、そこは三人の子を生み育てた母であるから、口ほどに不満があるわけではなかろう。腹をすかした娘を見る目はやさしかった。

「お嬢や。お名前は何という」

と、母も娘の顔を覗《のぞ》きこみながら訊ねた。三人の子供らは見知らぬ客に瞠目《どうもく》している。

娘は人々の表情をおずおずと見返してから、ぽつりと名乗った。

「おつや、です」

愛らしい面ざしの、未来の艶やぎを予見させるような名である。彦四郎は妙に得心した。

母が微笑みかけながらたしなめた。

「この婆《ばば》がひとつお教えしておきましょう。よいか、おつや。みずから名乗るときは、御の字をつけてはなりませぬ。つ、や。はい、もういっぺん言い直してごらん」

娘は少し考えてから、こくりと肯《うなず》いた。躾《しつ》けは行き届かぬが、聡明《そうめい》な子供である。

「つや、です」

「さよう。ようできました。ではお膳を進ぜましょう。武家とは申せたいそうなものではないから贅沢《ぜいたく》はできぬが、遠慮なさらずたんとお食べ」

「あい。いただきます」

肴《さかな》は干鱈《ひだら》の煮付けである。納豆汁に大根の煮しめ。香の物。献立は町家と変わるまい。

よほど腹をへらしていたのであろう、おつやは汁もすすらずに、まず一膳の飯をがつがつとかきこんだ。飢えの実相を初めて目《ま》のあたりにした子供らは、箸《はし》を持ったままおつやの貪婪《どんらん》を見つめていた。

「おつやには少々わけがあっての。親御どのが子の腹具合まで気遣えぬのだ。そうじろじろ見ずに飯を食え」

武家の子らが、こうして世の中の有様を親しく窺《うかが》い知るのも、また意義あることにちがいない。彦四郎は箸を運びながら甥姪たちに諭した。

「世の中には士農工商という身分の定めがあるがの、正しくは武士がその他の人々の上位に置かれており、農工商はひとからげの庶民なのだ。ただし、武士が偉いわけではない。平時には政《まつりごと》をなし、戦さの折には軍役を果たすのが武士の務めであるからして、偉そうに見えるだけなのだ。ゆえに、かような飢渇せる庶民に対して、武士は憐《あわ》れんではならぬ。珍しがっても、忌《い》み嫌ってもならぬ。申しわけなしとみずからの不行き届きを恥ずるのが、武士たるものだ」

寺子屋では庶民の子らと分け隔てなく机を並べている御徒士の子供らは、その理《ことわり》を聞き分けたようである。日ごろ師匠から、同じようなことを説諭されているのかもしれなかった。

やはり政を司《つかさど》る者は、庶民の痛みを知る草莽《そうもう》の中より出なければならぬ、と彦四郎は思った。勝安房守《あわのかみ》や榎本釜次郎《かまじろう》は、そうした理によって世に出たのであろう。だとすると、この先の世の中もまんざらではあるまいという気もしてきた。

「これこれ、おつや。少しはおかずも召し上がれ。おかわりはいかがか」

母がそう勧めると、おつやは口のまわりに飯粒を貼《は》りつけたまま嬉《うれ》しそうに肯いた。兄嫁が盆を持って飯茶碗《めしぢゃわん》を受け取った。おつやの口元から飯粒をつまんで微笑みかける様子は、わが子に向かうごとく愛《いと》しげである。

「たんとお食べ。これからもひもじいときには、いつでもおいでになるがよい」

上がりかまちに置かれたお櫃《ひつ》に向きながら、兄嫁はそっと袖で瞼《まぶた》を拭った。

おつやを御徒士屋敷に連れ帰って事情を説明したときには、母も兄嫁も迷惑げな顔をした。子供らも胡乱《うろん》な目をしていた。だがおつやの様子を窺ううちに家族の表情は変わっていった。

「もし、おつや。わしは干鱈が好かぬゆえ、これも食え」

皿を持って立ち上がったのは、長男の与之助《よのすけ》である。日ごろおとなしいばかりで、およそ惣領《そうりょう》らしからぬ少年の申し出に彦四郎は驚いた。むろん与之助が干鱈を好かぬわけではない。

弟と妹がそれに倣《なら》って食膳の一品を差し出そうとするのを、与之助はいかにも惣領らしく諫《いさ》めるのである。

「おまえたちは好き嫌いなぞ言うてはならぬ。わしは兄者ゆえ、好かぬものは食わぬのだ」

与之助は颯爽《さっそう》たる物腰でおつやの膳に干鱈を置くと、席に戻って黙々と飯をかきこんだ。

すばらしい。彦四郎は胸の中で快哉《かいさい》を叫んだ。

母も兄嫁もよほど意外であったらしく、はっと与之助を見つめ、それからまたひとしきり涙を拭った。

「ありがとう。いただきます」

おつやは二膳目の飯を、干鱈とともにたちまち平らげた。

「おかわり」

家族はぎょっと顔を上げた。馬鹿の三膳飯、という言葉がみなの脳裏をかすめたはずだが、ことの成りゆき上、誰も咎《とが》めるわけにはいかなかった。

「おかわり」

その夜、別所家の一升櫃はみごとカラになった。

十九

「あ。かくかくしかじか、話は大方わかり申した。まちがいない、まちがいない。なむなむ」

落ち会った麹町《こうじまち》広小路の茶店で、村田小文吾は彦四郎の話を聞きながら眉《まゆ》をひそめた。

「まさかとは思うたが、やはりさようか。もっとも、貧乏神が大店《おおだな》のあるじ、厄病神《やくびょうがみ》が相撲取りとくれば、いたいけな子供が死神というのもさもありなんというところだな」

わけのわからぬ話が耳に入ったらしく、茶店の亭主は団子を焼きながらちらりと二人を睨《にら》んだ。つねづね思うのだが、何ごとにもさして動じぬこの亭主は、ひとかどの人物であろう。親子が生き別れの、屋敷が丸焼けの、果ては店先での乱暴狼藉《ろうぜき》の、貧乏神の厄病神の死神のと、ありとあらゆる世の災厄を耳目にしながら、団子を焼き続けるというのはなまなかな胆《はら》の据わりようではない。

「あ。で、御組頭様もとい彦さん。そのおつやなる娘は、毎晩やってきては一升飯を食ろうておる、というわけでございますか」

「いつでもおいで、と言うてしもうたのだから仕方あるまい。ただし、それでは当家の竈《かまど》が保《も》たぬゆえ、夕飯は五合炊《ごんごうだ》きと定め、めいめいが盛り切りの一膳飯と決めた」

「あ。それは賢明だな。にしても、彦さん。師走《しわす》はどこも物入りじゃによって、さっさと始末をつけたほうがよい」

「始末、とな——」

小文吾は答えかけて口をつぐみ、懐《ふところ》から数珠《じゅず》を取り出した。

「宿替え。なむなむ」

ああ、と呻《うめ》いて彦四郎は両鬢《りょうびん》を抱えこんだ。いかに修験《しゅげん》のご託宣とはいえ、かくもあっさりと言えるのは他人事《ひとごと》だからである。

死ぬのは嫌だ。自分が嫌なことは他人も嫌に決まっているのだから、宿命を誰に振るにせよこの宿替えは不仁のきわみである。

「あー、何を悩んでおるのだ、彦さん。こればかりは早うせねば、おまえ様が死んでしまう」

「そんなことはわかっておるわい。実はの、今しがたも九段の坂下で、危うく暴れ馬に撥《は》ねられそうになった。きのうはきのうで、熊《くま》の胆《い》と猫いらずをとっちがえて嚥《の》みそうになった。おとついは猿江《さるえ》橋の上で知り合いと立ち話をしておったら、つい倚《よ》りかかった欄干が腐っていての、すんでのところで濠《ほり》へとまっ逆様に落つるところだった」

「あー、さよか。他人の不幸とは聞くだに面白いものでござるの。ぼちぼち腹がへったゆえ、続きは河豚《ふぐ》でも食いながら話しませぬか」

「冗談もたいがいにしろ。わしが今、河豚など食えば、百発百中大当たりまちがいなしだ」

死の影が迫っているのはたしかであった。小文吾がそうと断ずるのだから、おつやが死神の化身であることにもはや疑いようはあるまい。正体が知れたからには、宿替えの秘法を願うほかはないとも思う。そうは思うのだが、この神のもたらす災いが貧乏でも病でもなく、命取りなのだと知ればこそ、その決心はつきかねた。

おのれの命惜しさに他人の命を差し出すのである。どう考えようと、不仁のきわみこれにまさる行いはなかった。

仁は孔子の訓《おし》え諭した五常の徳目の第一である。諸徳一切の礎《いしずえ》となる人の道である。「イ」に「二」、すなわちたがいを慈《いつく》しみ思いやる二人の心がけを、その文字は表している。おのれよりまず他者を気遣わねば、人の道は畜生道に堕つるのである。むろん、仁あるところに武士道の本義たる忠や恕《じょ》も顕《あらわ》れる。武士は仁者たらねばならず、仁の精神を欠いた者はすでに武士ではない。

「小文吾よ」

と、彦四郎は弟子を諭す孔子の気分で言った。

「いくら何でも、そればかりは仁に悖《もと》る」

「あー、むつかしいことを言われてもわしにはわからん」

「孔夫子《こうふうし》はのたもうた。おのれの欲せざるところは人に施すことなけれ、と。わかりやすく言うなら、それこそが仁なのだ」

「あ、わかりやすい。誰だって家を焼かれたくはなし、病にかかりたくはなし」

「そう責めてくれるな。たしかにわしは二度まで不仁をなしたがの。にしても然《しか》るべき理由はあったのだ。井上軍兵衛はわしを陥《おとし》れた。兄は別所の家を殆《あやう》くした。そこまでは人間の煩悩《ぼんのう》のなせるわざとしよう。しかし、死神の宿替えはわけがちがうぞ。たとえ家を焼かれようが病にかかろうが、命あっての物種だ。おのれの欲せざる最たるものは、命を奪われることであろう。これればかりはできぬ。畜生道に堕つるくらいなら、わしは人として死ぬ」

「ああ、ああ、おまえ様はまったく人が好い。おのれの命より他人の命のほうが大切か」

亭主が焼き上がった団子を運んできた。茶をさしかえながら、何ごとにも動ぜぬ大《たい》人《じん》の顔を彦四郎に向ける。

「ご事情はよう存じ上げませぬが、お侍様。大仁《たいじん》は仁ならず、という訓えもござんすよ」

団子と一緒にその一言を置いて、亭主は店の奥に入ってしまった。

ぐさりと刺さる諫言《かんげん》であった。世の中にはままあることだが、人間は身分の上下や学問のあるなしではなく、やはり食ろうた飯の数である。

「大仁は仁ならず、かよ」

「あー、そうだ、その通りだ。何だかよくはわからんけど、人が好すぎるのはただの馬鹿ということじゃろう。ああ、有難や、なむなむ」

まだ当分は悩まねばならぬ。だが悩んでいる暇はなかった。

北向きに立てられた葦簀《よしず》の向こうに、不穏な人影がある。葦簀は風除《よ》けのために二重に回されているから、姿かたちは定かではないが、殺気はひしひしと伝わってきた。

「小文吾。さがっておれ」

彦四郎は小声で言うと、刀緒《とうしょ》を解いて鯉口《こいぐち》を緩めた。

「なにやつ」

答えのかわりに白刃が横薙《な》ぎに払われ、葦簀が一文字に切りさかれた。彦四郎は抜きがけの刀の棟で、がっしりと刺客の剣を受けとめた。

「わわっ、市太郎様、何をなさる」

小文吾が跳ねのきざまにそう叫ぶまで、彦四郎は事態を呑《の》みこむことができなかった。小さな刺客は腕を捻《ね》じ上げられたまま、菅笠《すげがさ》を冠《かぶ》った顔を父に向けた。たしかにわが子にはちがいないが、死神にとり憑《つ》かれた形相は物凄《ものすご》かった。

「なぜじゃ、市太郎。なにゆえ父を弑《しい》さんとする」

彦四郎は叱《しか》りかつ嘆いた。いかなる憎しみがあろうと、子が親に刃《やいば》を向けたのである。親殺しにまさる罪はない。

「殺せ、下郎」

と、市太郎は組み伏せられたまま父を罵《ののし》った。

「子が親を殺さんとしても、親が子を殺せるわけはなかろう。わけを言え。なにゆえじゃ」

「今しがた井上の家に御沙汰《おさた》があり申した。おまえのせいでわが家は絶家じゃ。爺様《じいさま》は腹を召されるにちがいない」

「なんと」

彦四郎は破れた葦簀を踏み倒して広小路に飛び出た。突然の騒動を遠巻きに見守る野次馬の中に、おつやの姿があった。

「おーのーれー」

やはりおつやは死神の化身であった。邪神中の邪神ともなると、さすが思いつく手段も悪どい。怒ったところで何がどうなるわけでもないのはわかっているが、彦四郎は逃げようともせぬおつやに歩み寄って、袢纏《はんてん》の襟首を吊《つ》るし上げた。

「お侍《さむれえ》さん、手荒な真似《まね》はおよしなせえよ」

「大人げねえぞ、まだガキじゃねえか」

「そうよ。お説教なら口でなさいまし」

と、野次馬たちは一斉に彦四郎を非難した。

「手荒な真似などしても始まらん。こいつはただのガキなどではない。口でできる説教ならとうにしておるわい。こら、おつや。何をへらへら笑っておる。まったく、悪者は悪者に見えぬと都合が悪い。これではわしが悪者ではないか」

「ごめんなさい、おじちゃん」

「心にもないことを言うでない。その詫《わ》びの言葉に真心のかけらもないことぐらいわかっておるわ」

それにしても、いたいけな町娘とはうまい姿に化けたものである。人を見かけで判断してはならぬという手本であった。ここで殴りつけでもしようものなら、事情の一切にかかわらず百人が百人とも死神の味方であった。

進退きわまった彦四郎と、非難囂囂《ごうごう》たる群衆の中に立ってくれたのは、またしても茶店の亭主であった。

「えー、どうかお静まり。他人《ひと》さんの親子喧嘩《げんか》に四の五のと言うのは、要らぬ節介てえもので。ささ、続きは店の中で」

「かたじけない」と拝む気持ちで、彦四郎はおつやを吊るし上げたまま店へと戻った。

「ま、何が何だかわけがわかりゃしませんけど、苦労は人それぞれでござんす。どうぞ奥の座敷をお使い下さいまし」

知らぬが仏、とはこのことであろう。物に動ぜぬこの亭主に、ことの顚末《てんまつ》をすべてぶちまけたい気もするが、まさかそうもいくまい。

「おい、おつや」

店の中に入ると、彦四郎は小声で叱った。

「今さら何を言うても、三巡稲荷《みめぐりいなり》に手を合わせたわしが悪いのだから仕方がない」

と、言われる前に言った。

「じゃにしても、これはなかろう。貧乏神も厄病神も、いくらかは人間味があったぞ」

「あい。でも、おじちゃん。あたいらの中で人間味があるっていうのは、ちっともほめられた話じゃないの。修業が足んないってことなの」

フム、それは道理である。今さら懐《なつか》しい気もする伊勢屋や九頭龍《くずりゅう》の顔を思い出しながら、彦四郎はさらに文句をつけた。

「あのな、おつや。わしは侍じゃによって、もはやじたばたはせぬ。暴れ馬に蹴《け》られて死ぬもよし、熊の胆と猫いらずをとっちがえて頓死《とんし》するのも、猿江橋の欄干もろとも濠に落ちて溺《おぼ》れ死ぬるもやぶさかではないがの、わが子に斬《き》られて死ぬという筋書きは、いくら何でも悪どい。そうは思わぬか」

「あい。そうは思うけどね、悪どければ悪どいほどほめられるのが、あたいの商売なの。とっても名案だって思ったんだけどなあ。それにね、おじちゃんは用心深いうえに剣術の達人だから、ちょっとやそっとのことでは死なないってわかったのよ」

「ばかな。ならばなおさらのこと、子供に斬られて死ぬはずはなかろう」

「そうかなあ。あたいが名案だと思ったわけはね、おじちゃんはやさしい人だし子供好きだから、いっちゃんの刀をおなかで受けてくれるんじゃないかって。でかした、市太郎、とか何とか」

「わしの市太郎を、いっちゃんなどと気易《きやす》く呼ぶでない」

そう言ったなり、彦四郎は言葉が継げなくなった。あの一瞬、そうした迷いがなかったとも言い切れぬ。市太郎の恨みを受けて死ねば、親としても本懐をとげたことになりはしなかったか。

親殺しは重罪にちがいないが、離縁によって親子の縁は断たれているのである。だとするとむしろ市太郎は処罰されることなく、火付けの恨みをわが手で晴らした立派な子供として、美談の主に祀《まつ》り上げられるのではなかろうか。失火という結論を下されて絶家となった井上の家も、あるいは再興の機を得るかもしれなかった。

もしあの一瞬に、そこまでの読みが働いたならば、自分はたしかに市太郎の刃を腹で受けていたと思う。

「なるほど、さすがだな。しかしあいにく、わしはそこまで頭がよろしゅうはない。とっさにあれこれと考えつくほど、人間は利口な生き物ではないのだ。さてどうする、おつや。わしはそうそう簡単に死にはせぬぞ」

おつやは悔やしがるでもなく、にっこりと肯《うなず》いた。

「何が面白うて笑うのだ。気味の悪い」

「あい。あのね、おじちゃん。このごろは殺し甲斐《がい》のある人間が少くなっちまって、張り合いがないの。みんな弱っちいから、すぐ死んじまうんだ」

「……ほう。殺し甲斐ねえ」

「武蔵坊弁慶の立往生っていうの、あれは殺し甲斐があったわよ。それから、赤穂《あこう》の四十七士ね。死ぬと決めてからが長かったからねえ」

「要するに、わしは弁慶や赤穂義士と同じほど殺し甲斐のある侍というわけだな」

宿替え、という言葉が彦四郎の頭をよぎった。この邪《よこし》まなる企《たくら》みをくつがえすとするなら、やはりその秘法に頼るべきなのであろうか。いや、即断をしてはならぬ。不仁は武士道に悖る。

「気のすむようになぶり殺すがいい。どのみち死するのが人間ならば、神と戦うて死ぬるはあっぱれ本望だわい」

おつやはいよいよ朗らかに笑った。傍《はた》から見れば、さぞかしあどけない笑顔であろう。

「やれやれ、仲直りができてようございましたなあ。ささ、こちらでごゆっくりなさいまし」

と、亭主が奥の間から手招いた。

脇差《わきざし》を取り上げられた市太郎は、小座敷の端でさめざめと泣いており、小文吾がいっこうに要領を得ぬ説諭をしていた。

「いーっちゃん」

おつやが呼びかけた。とたんに市太郎の泣き顔が綻《ほころ》んだ。親にしてみれば、不本意このうえない関係である。どこでいつの間に知り合うたかはわからぬが、見かわす目と目にはただならぬ情がこもっていた。

むろん、町人だからどうのなどとは言わぬ。異性に興味を抱き始める齢頃《としごろ》でもある。それは自然の摂理というものであろうけれど、やはり死神だけはまずい。

ふと、小文吾が肩ごしに振り返っておつやを睨《にら》みつけた。うって変わった修験《しゅげん》の顔である。

「おぬし、何をした」

低くおどろおどろしい声で、小文吾は言った。とたんにおつやは小さな叫び声をあげて、彦四郎の腰の裏に隠れてしまった。

「待て、小文吾。手荒な真似はいたすな」

「いいや。人間を虚仮《こけ》にするにもほどがある。今度という今度は、持てる法力の限りをつくして戦うてくれようぞ」

「やめておけ。どうやらこの死神、じゃなかったこの小娘は、伊勢屋や九頭龍ほどやわではなさそうだ」

「何を」と数珠《じゅず》を握ってにじり寄ったと思う間に、さすがの小文吾もああっと声をあげて畳に打ち伏した。やはり今までの邪神とは、悪さの程度がちがうらしい。

「あたい、帰る」

と、ひとことだけを言い残して、おつやは店から駆け出て行った。

「おつやちゃん」

呼び止める市太郎を、彦四郎は激しく叱りつけた。

「許さぬぞ、市太郎。いったいあのような者と、どこで知り合うたのだ」

「今さらおまえ様に、許すの許されぬのと言われたくはございませぬ」

彦四郎は思わず倅《せがれ》の頰《ほお》を張った。わが子を殴ったのは初めてである。力まかせに叩《たた》いた掌の痛みよりも、おのが頰に同じ痛みを感じた。

「たしかに、さような義理はあるまい。だが、わしは血肉を分けた父親として、おまえにだけは能《あた》うかぎり最善最良の生涯を送らせたい。わしの命などはどうでもよい。

おまえを幸せにしたい」

市太郎は膝《ひざ》を揃《そろ》えてかしこまった。しかし唇はいまだ怒りに歪《ゆが》んでおり、つっぱった両の腕《かいな》はわななき震えていた。きっかりと父を見上げる目は、慕う気持ちと憎しみとがないまぜになっていた。

市太郎は苦悩している。親ならばこの煩悶《はんもん》から救うてやらねばならぬと思っても、言葉など見つかるはずはなかった。人の世の複雑な事情のうえに、常理を超えた神仏の意志が被《おお》いかぶさっているのである。

「今しがた、仮宿の栖岸院《せいがんいん》に御使番《おつかいばん》様が参られて、御沙汰状を読み上げられました」

彦四郎を睨み上げたまま、市太郎は父に刃を向けたいきさつを語り始めた。

失火の責任はすこぶる重かった。小十人組頭の御役御免のうえ、絶家である。ただし多摩に知行《ちぎょう》する采地《さいち》は召し上げぬゆえ、以後の生計《たつき》とせよ、と御使番は言うたそうな。

早い話が御家人を馘《くび》にされたうえ江戸所払い、百姓になれというわけである。それがご政道に照らした沙汰ではなく、火事にことよせた御家人の口べらしであることは見え透いていた。そもそもおのれがもたらした災いとはいえ、彦四郎は幕閣の姑息《こそく》さに激しい怒りを覚えた。

「爺様や母上の落胆を見るにたえず、お堂から出たところ――」

そこに愛らしい町娘が手鞠《てまり》をついており、市太郎の嘆きを慰めてくれた。何やらかっと胸が熱くなったとたん、矢も楯《たて》もたまらずに父を殺そうと思ったのだと、市太郎はその折の心情を素直に語った。

後先もわからずに菅笠《すげがさ》をひっ冠《かぶ》って駆け出すと、追ってきたおつやが教えてくれたのだそうだ。あなたのおとっつぁんなら、そこの茶店にいるよ、と。

「もうよい。話は大方わかった」

許せぬことばかりである。死神の悪どさが許せぬ。その色香に迷うた倅も許せぬといえば許せぬ。むろん姑息な御沙汰も許せぬ。

「爺様はきっとお腹を召されます」

絞り出すような声でそう言うと、市太郎は顔も被おうとせずにわあっと泣いた。気丈な倅だが、やはり七歳の子供にはちがいなかった。

むろんその心配はない。井上軍兵衛に武士道などないことは、婿《むこ》として仕えた彦四郎が誰よりも知っている。

「小文吾、あとは頼む」

彦四郎は御徒士羽織を脱ぎ捨てると、刀緒を解いて襷《たすき》にかけた。

「あら、何をなさるつもりだ、彦さん」

「わしは堪忍袋《かんにんぶくろ》の緒が切れた。かくなるうえは腐れ役人のひとりでも叩っ斬り、お白洲《しらす》にてわが思うところを述《の》ぶることにする」

「あー、それはまずい」

彦四郎は茶店から駆け出た。雲が低く垂れこめ、地風の唸《うな》る広小路の先から、並足の馬が一騎、伴《とも》揃えもよろしく近付いてきた。裏金《うらきん》に白敲《しろたたき》の陣笠《じんがさ》は御使番の徴《しるし》である。

まことに間合いがよい。というより、間合いがよすぎる。

道を行く人々がみな畏《おそ》れ入って頭《こうべ》を垂れる馬の鼻先に、彦四郎は双手《もろて》をかざして立ち塞《ふさ》がった。

「無礼者、何と心得る」

御使番はかつて伊勢屋から袖《そで》の下を受け取った青山主膳である。馬上の貴公子面《づら》を睨み上げて、彦四郎は大声で言った。

「御使番様に物申す。こたびの火事は火付けにはあらず、不行き届きの失火でもござらぬ。神仏の下し給《たも》うた避くべからざる宿命にござる。さらばいかなるご所存を以《もっ》て、幕閣は絶家の御沙汰を賜われるのか。天災にかこつけて、人災をなすおつもりか」

彦四郎の誰たるかを認めると、馬上の青山主膳は手綱を引いて怯《ひる》んだ。男谷《おだに》道場でさんざ打ち据えられた青山は、彦四郎の腕前を承知している。

「拙者を公儀使番と知っての狼藉《ろうぜき》か。控えよ、下郎」

従者たちは早くも刀を抜いて彦四郎を取り囲んだ。

「千石取りの御旗本から見れば、小十人組や御徒士はたしかに下郎でござろう。しかし、いかに小禄《しょうろく》の御家人《ごけにん》といえども、天下泰平のため政《まつりごと》の一翼を担《にな》って参った矜《ほこ》りは人後に落ちぬ。そこもとらは腐り切っておる。たかだかの口べらしのために、三河以来の御家人を馘首《かくしゅ》するなど言語道断。かくなるうえはそこもとを叩っ斬り、幕閣御上座方々の詮議《せんぎ》の前で、わが思うところを開陳つかまつる」

刀の柄《つか》に手をかけんとしたそのとき、茶店から駆け出た小文吾が叫んだ。

「罠《わな》だ、彦さん。邪神の真の目論見《もくろみ》はこれだぞ。なむなむ、あな怖《おそ》ろしやァ」

はっと気付いて、彦四郎は遠巻きの野次馬を見渡した。はたして人垣の中に、手鞠を抱いたおつやがにっこりと微笑《ほほえ》んでいた。

彦四郎は肩の力を抜いて後ずさった。

「――ご無礼つかまつった。かねてより見知った仲の青山様に、胸襟《きょうきん》を開いて思うところ申し上げただけでござりまする。あまたの御家人中には、かような不満なきにしもあらずとお伝えしたばかりにて、口ほどの他意はござりませぬ。ご容赦下されませ」

気色《けしき》ばむ従者を、青山主膳はいかにも胸を撫《な》でおろした様子で諌《いさ》めた。

「少々度は越しておるとは思うがの。まあそこもとの申すこともわからんではない。衷心《ちゅうしん》に免じて無礼の段は赦《ゆる》す。そこをのけ」

よほど肝を冷やしたのであろう、御使番と従者たちは逃げるように駆け去ってしまった。

本来ならば、けっして許されざる行いであるにもかかわらず、なかったこととして逃げ去る役人は、性根まで腐り切っているのだろうと彦四郎は思った。

「あー、彦さん。殆《あやう》いところだった」

血の気の引いた顔で小文吾が語りかけた。店先には市太郎がぼんやりと佇《たたず》んでおり、亭主は何ごともなかったかのように団子を焼き始めていた。

彦四郎はおそるおそる往来を見渡した。人々は北風に追われて歩き始め、彦四郎を顧る者もいなかった。凋落《ちょうらく》の気は鈍色《にびいろ》の雲となって、江戸の空を蓋《おお》いつくしていた。

おつやの姿は見当たらず、ただ身を切る風に乗って手鞠唄が聴こえていた。

てんてんてんまり　どちらにござる

お濠《ほり》をこえて大手門
三の丸　二の丸　御本丸
てんてんはずんで　もみじ山
権現《ごんげん》さまのお膝の上じゃ
てんてんてまり　どうにもならぬ
どうにもならねば　どうしよう

子供らの口ずさむ戯《ざ》れ唄は、どうにもならぬご政道を責むる怨嗟《えんさ》の声であろうか。

しかし、どうしようと問われたところで、七十俵五人扶持《ぶち》の御徒士《おかち》にできることなどあるはずはない。

せめて——たとえ徒花《あだばな》でも真白に咲く夕顔でありたいと、彦四郎は希《ねが》った。

二十

「懺悔《さんげ》懺悔《さんげ》、六根清浄《ろっこんしょうじょう》」

修験者たちの掛け念仏が、閑《のど》かな正月の町に響き渡る。

年明け早々に憑神祓《つきがみはら》いの護摩を焚《た》くことになった。もっと早いうちにさっさとやってくれてもよさそうなものだが、小文吾が言うにはこのところ世間は憑神だらけで、お焚き上げも順番待ちというのだから仕方がない。

「懺悔懺悔、六根清浄」

目白不動から雑司《ぞうし》ヶ谷《や》の修験屋敷までの道を、吉野から熊野に至る大峯奥駈道《おおみねおくがけみち》になぞらえて、早足で歩くのである。先達の老山伏のあとに十人ばかりの修験者が続く。彼らに囲まれてひたすら歩む彦四郎は、まるで罪人のような浅黄色の裃《かみしも》を着せられた。

「のう、小文吾。いくら何でももちと大げさではないか。寒うてたまらぬ。いや、恥ずかしゅうてならぬ」

村田小文吾は修験者たちと同じ出《い》で立ちである。白無垢《しろむく》の結袈裟《ゆいげさ》に鈴懸《すずかけ》、頭には兜巾《ときん》、手甲に地下足袋《たび》、手には念珠と法螺貝《ほらがい》、錫杖《しやくじよう》というものものしさであった。

「恥ずかしがることはございませぬ。目白不動にて斎戒沐浴《さいかいもくよく》のうえ身仕度を斉《ととの》え、雑司ヶ谷の修験道場に向かう行列は、このごろ日に三度はござるでな。まあ、寒いのは仕方ないが、辛抱《しんぼう》なされませ」

人間には向き不向きがあるものだと、彦四郎はしみじみ思う。侍としてはてんで話にならぬ小文吾だが、修験のなりをすればたいそうなもので、面構《つらがま》えから物言い物腰まで別人であった。還俗《げんぞく》して侍になったのは身の不幸というべきであろう。

「懺悔懺悔、六根清浄」

いかに忙しくとも手抜きがないのはさすがである。修験者たちはみな大峯で行をなした錚々《そうそう》であるらしく、不動明王のごとき鋼《はがね》の体軀《たいく》といかめしい顔を持っていた。言われてみればなるほど、行列が派手なわりには注目を集めているふうはなかった。この目白の通りには珍しくもない光景なのであろう。

行者たちの足はすこぶる速い。目白不動を出発してしばらく行くと、寒いどころか汗が噴《ふ》き出てきた。

「ときに彦さん。上方の噂《うわさ》は聞いておられるか」

歩きながら小文吾が訊《たず》ねた。紅葉山《もみじやま》の御蔵番たちの噂によると、正月の三日から上方で戦《いくさ》が始まったという。

「耳にはしておるがの。会津桑名の藩兵と長州との悶着《もんちゃく》であろう」

噂はその程度である。すでに昨年の暮には王政復古の大号令が渙発《かんぱつ》され、京守護職の会津藩と所司代の桑名藩は御役御免となっていた。大坂に退いた両藩の軍兵が、納得できずに巻き返したのだと、江戸の侍たちは他人事《ひとごと》のように言っている。

「ところが、彦さん。拙者もさよう聞いていたのだが、ことはさほど簡単ではないらしい。お味方は旗本御家人をこぞった大軍勢で——」

「何と。上様もご出馬あそばされたか」

だとすると一大事である。上様ご出馬となれば、御徒士は御影鎧《おかげよろい》をまとって本陣を護《まも》らねばならぬ、ととっさに考えた。

「詳しいことは存ぜぬがの。敵も長州ばかりではのうて、薩摩《さつま》やら土佐やら、西国の諸藩だそうな」

こういうときこそ、いつものように「あー」とか「うー」とか言ってほしい。まるで別人のように明晰《めいせき》な口ぶりは、彦四郎を少なからず動顚《どうてん》させた。

「まるで天下分け目の関ヶ原ではないか」

「さよう。噂がまことじゃとすれば、天下分け目の鳥羽《とば》伏見《ふしみ》ということになり申す」

「こうしている場合ではない。登城して御影鎧の戦仕度をせねば」

そうは言うても、屈強な修験者《しゅげんじゃ》たちに囲まれては、立ち止まることもできぬ。

「のう、彦さん」と、小文吾は彦四郎の背を押しながら言った。

「ひとたびお下知があれば、われら留守居の御家人も戦場に向かうのは当然至極じゃがの。にしてもまさか、御影鎧を担《かつ》ぎ出すことはありますまい」

「何を申すか。御影鎧は人が嗤《わろ》うほど時代おくれの代物《しろもの》ではないぞ。御大将の御身に危機が迫ったとき、影武者が敵の目を欺《あざむ》くのはよい方法だ」

「いや、それはたしかに。しかし肝心の御大将は戦をなさるまい」

あーもうーもなく、小文吾は妙にきっぱりとそう言った。

「上様は将軍職を返上なさったとは申せ、源氏の棟梁《とうりよう》たる徳川の御大将であることに変わりはない。戦となれば存分に采配《さいはい》をふるわれる」

「ここだけの話じゃが、彦さん。どうやら敵は錦《にしき》の御旗《みはた》を奉じているらしいのだ」

「何と――」

彦四郎は絶句した。錦の御旗はさる年の長州征伐の折に、幕府軍が掲げた天朝の旗印である。すなわち錦旗を奉ずる者は官軍で、抗《あらが》う敵は賊軍であった。

水戸のご出身であらせられる大樹《たいじゅ》公は、ことのほか勤皇の志が篤《あつ》い。その志ゆえの大政奉還であり、王政復古であった。まみゆる敵が長州ではなく官軍であると知れば、たしかに大樹公が戦をなさるはずはない。

「いったいどうなっておるのだ。何が何だかさっぱりわからぬ」

「誰もわかりませぬ。だからこそ、このいつに変わらぬ閑かな正月というわけで。とりあえずは憑物を落としておかねば、いざというときに一働きできますまい」

目白の通りは東から西へと、まっすぐに延びていた。南側は大名の下屋敷が続くが、北は西音羽《おとわ》の御家人屋敷が群れている。晴れ上がった冬空には、幾筋もの糸を曳《ひ》いて紙鳶《たこ》が飛んでおり、獅子舞《ししまい》の囃子《はやし》も聞こえていた。二百五十年の太平に慣れた御家人たちは、戦の噂など容易に信じぬのであろう。仮に信じたところで、それは芝居でも見るような絵空事としか思えまい。

顧みれば、おのれも実は同様なのである。このところの徳川と長州の因果は浅からず、大政を朝廷にお還《かえ》ししたからといって、互いの恨みつらみが晴れたわけではない。このまま平穏無事に新しき天朝様の御世がくるとはとうてい思えぬのだが、そもそも戦というものが実感できなかった。

「懺悔懺悔、六根清浄」

錫杖の鐶《かん》の音に合わせて、行者たちは高らかに掛け念仏を唱える。彦四郎も小文吾も、声を張り上げて唱和した。

やがて御家人屋敷がとだえて、冬枯れた畑地の先に鬼子母神《きしもじん》のお堂が見えた。その裏手に犇《ひし》めく甍《いらか》がめざす修験屋敷なのだと、小文吾は白い手甲をはめた指先を行手に向けた。

「こちらが当修験道場大先達の白龍様にございます」

道場の広敷には、年老いた修験者が瞑目《めいもく》していた。武士のたしなみとして、偉い人は見てはいけないのである。で、一瞥《いちべつ》したなり彦四郎は、蛙《かわず》のように平伏した。

小文吾の声が続ける。

「白龍様はかつて吉野の金峯山寺《きんぷせんじ》にお籠《こも》りになられ、四無行《しむぎょう》の成満《じょうまん》をなされました。四無行とはすなわち、九日間を断食、断水、不眠、不臥《ふが》にて通す修行のことにて、これを成し遂げれば魂は自在にこの世と曼荼羅《まんだら》界を往還いたしまする。これより白龍様が護摩を焚かれ、邪神を祓うて下さります。まこと有難きことにございまする」

そういううまい話ならば、なぜもっと早くに持ってこぬ、と彦四郎は呪《のろ》った。大入り芝居のごとく順番待ちであったというが、これまでの苦労を思えば内心は穏やかではなかった。

やや気になるのは、白龍様なる老師の心地よさげな鼾《いびき》であった。まさか眠っているのではあるまい。眠っていると見えて、魂が曼荼羅界に飛んでいるのであろう。

彦四郎のうしろには、目白不動から厳《おごそ》かな行列をしてきた修験者たちが、鍛え抜かれた体と顔をみっしりと並べていた。

小文吾は続ける。

「拙者も当道場にて、七歳より二十五歳までの間、修験道を白龍様より授かり申した。そもそも修験道とは読んで字のごとく、修行によって験力《げんりき》を得る道のことにございまする。験力法力とは申しましても、世にいう怪力乱神のたぐい、あるいは俗人に超たる能力を得ることばかりではございませぬ」

まこと信じ難い。あー、うー、どころか立派な修験の徳を、小文吾の物言いは感じさせる。他の行者たちの態度から察するに、どうやら小文吾は相当の法力を持つ修験であるらしい。かえすがえすも、還俗は身の不幸であったと彦四郎は思った。

「それ修験の法と申すは、胎蔵《たいぞう》、金剛の両部を旨《むね》とし、嶮山《けんざん》悪所を踏み開き、世に害をなす悪獣毒蛇を退治して現世愛民の慈愍《じみん》を垂れ、あるいは難行苦行の功を積み、悪《あく》霊亡魂《りようぼうこん》を成仏得脱《じようぶつとくだつ》させ、日月《じつげつ》清明、天下泰平の祈禱《きとう》を修するものにござりまする」

何だかよくはわからぬが、要するに修験道とは、世のため人のためにわが身を削って尽くす道のことであるらしい。

白龍様は相変わらず高鼾をかいている。

小文吾が声をかけても、老師が目覚める様子はなかった。

「もし、大先達様――」

「白龍様はただいま人間界を離れ、声聞《しようもん》界、縁覚《えんがく》界を超えて、遥《はる》か天空のきわみにござる菩薩《ぼさつ》界にて邪神を探しておいでです」

修験者たちの中から、プッと噴き出す声が聞こえたが気のせいであろうか。笑うてはならじと、彦四郎は平伏したまま奥歯を嚙《か》みしめた。

「大先達様。そろそろお護摩を」

白龍様はグアッと鼾で返事をした。

笑うてはならぬ。老師は寝ているのではなく、菩薩界にて邪神を探しておいでなのだ。しかしそうは思うても、うしろにみっしりと控える修験者たちのあちこちから、プッ、プッと噴き出す声が続くのである。何だか小文吾ひとりが懸命であるように思え、その律義《りちぎ》さが伝われば伝わるほど、肚《はら》の底から堪《こら》え難いおかしみがこみ上げてきた。

正面に護摩壇を据えた広敷には、人々の堪忍《かんにん》の気が漲《みなぎ》っていた。

「では、白龍様にかわって拙者が、護摩行についてお話しいたします。面《おもて》を上げられませ」

彦四郎はゆるりと顔をもたげた。何も見えずにひたすら堪忍するよりは、いくらか楽であった。

白龍老師はいったいおいくつになられるのであろうか。座したまま心地よさげに舟を漕《こ》ぐお姿は、あたかも即身仏を見るがごとくである。御齢《おんとし》百歳といわれれば、そんな気もする。

「護摩行には、息災、増益《そうやく》、降伏《ごうぶく》、敬愛、鉤召《こうちょう》、延命の六種がございまする。息災と増益は読んで字のごとく、降伏は敵する者の呪殺《じゅさつ》、敬愛は相手の感情を思うがままに操り、鉤召は女人の気持ちを我に魅《ひ》きつける行にて、これより御身には延命護摩を焚き上げまする」

はて、日月清明、天下泰平を念ずる修験道の趣旨とは、いささか矛盾するような気がしないでもないが、つまり俗人の現世利益《げんぜりやく》によって天下泰平を招来せしめるという意味であろうと、彦四郎は好意の解釈をした。

「すなわち、命を奪わんとする邪神に対し、延命の護摩を以《も》って抗い、かつ調伏《ちょうぶく》し、退散せしめんとする行にございまする。よろしいかな」

ははっ、と彦四郎は頭《こうべ》を垂れた。まことに丁寧な説明である。邪神にとり憑《つ》かれた人間は病人と同じであるから、医者の立場の修験者はかような説明をして、理解を求めるのであろう。だとすると、護摩行とは西洋医術の外科手術のようなもので、成功もあれば失敗もあるのかもしれぬ。

袢にしみた汗が冷えてきて、彦四郎は寒気に身を震わせた。

小文吾に膝《ひざ》を揺すられて、白龍様はようやく目覚めた。いや、菩薩界からお戻りになられた。
「おお、誰かと思えば小文吾ではないか。久しいのう。いやはや、齢はとりたくない
ものだ。うっかりしておるとすぐ眠くなる」
これはだめだろう、と彦四郎は思った。
「大先達様。さっそくお護摩を」
こほん、と空咳《からせき》をして小文吾は言った。老師はなすべき行にやっと気付いた様子で、
空咳で応じながら護摩壇に向き合った。なるほど、もしや「護摩化す」とはこのこと
であろうか。
「懺悔懺悔、六根清浄。上求菩提《じょうぐぼだい》下化衆生《げけしゅじょう》、南無神変大菩薩」
白龍様が跳ね上がる感じで念珠をふるうと、あちこちで法螺貝や鳴物が奏され、華
やかな護摩行が始まった。
ふしぎなことには、それまでしんと鎮《しず》まっていた護摩壇に、突然めらめらと炎が噴
き上がった。
「畏《かしこ》くも不動明王の御力《おんちから》に恃《たの》み奉《たてまつ》り、別所彦四郎直篤《なおあつ》が体にとり憑き給《たま》いし神々に物
「もし、大先達様。もし。もし」

もっす！」

だめではないかもしれぬ、と彦四郎は思い直した。

「上求菩提下化衆生。人はみなおのおの分《ぶ》をわきまえ、寿命尽くるまで懸命に生きんとす。いかな八百万《やおよろず》の御神御仏とは申せ、さなる衆生にとり憑き給いて命奪わんとするは非道なあり。さらば衆生に代わり験力の限りを尽くして、延命の大護摩を焚き奉らん。南無遍照金剛、南無神変大菩薩、悪鬼退散、邪神調伏、喝《か》ーッ！」

これはいける、と彦四郎は確信した。

「ご唱和を」

小文吾の声が、いよいよ噴き上がる炎の向こうの、不動明王の声に聞こえた。

「上求菩提下化衆生、南無神変大菩薩」

修験者たちの祈りに合わせて、彦四郎も高らかに念じた。

多少くたびれてはいるが、修行を積んだ老師はやはり凡俗ではない。修験道とはおそらく神仏に服《まつろ》うのではなく、天然のうちにある人間の存在を、神仏に向かって主張する道なのではあるまいか、と彦四郎は思った。

そう考えると、おのが身ひとつに恃む人間の勇気が、護摩壇の炎とともに燃え上がるのを感じた。

まったく思いがけなく、別所彦四郎は世の侍が忘れ去った武士道の骨髄を、その手にしっかりと握った。

二十一

憑神祓《つきがみはら》いをおえた彦四郎と小文吾が、くたびれた体を落ち着けたのは、麴町広小路《こうじまちひろこうじ》の茶店である。

いつの間にか、寡黙《かもく》な亭主がひとりで切り盛りするこの店が、二人の詰所のようになっていた。何しろ口にすることのすべては、常人が聞けばたちまち奉行所に届けかねぬほど怪しいのである。

雑司ヶ谷の修験道場からは、また行者たちに送られて目白不動まで歩き、衣服を改めて麴町まで戻ってきた。すでに暮六ツの鐘が鳴る時刻である。

修験者の衣裳《いしょう》を羽織袴《はかま》の平服に改めたとたん、小文吾の顔はいつもの鯔《ぼら》に戻った。まこと苦労な人生である、と思う。

「いやはや、何と礼を申してよいかもわからぬ。かたじけない、この通り」

彦四郎は心から頭を下げた。しかし小文吾は浮かぬ顔である。

「あー、頭を下げなさるのはまだ早い。白龍様はあのお齢じゃによって、ご験力《げんりき》もそう当てにはならんのだ」

結果などはどうでもよい、という気がした。命にかかわることなのだからどうでもよいはずはないのだが、小文吾や白龍様や大勢の修験者たちが、心を尽くしてわが身を救おうとしてくれたことが、有難くてならなかった。

死のうが生きようが、混沌《こんとん》たる迷いが消えたのはたしかであった。目も鼻も耳も、舌も身も心も、正しいものを正しいと感ずる鋭利さを取り戻した。まさしく六根清浄である。

験力の効能はともかく、他人の誠意には断じて応じねばならぬ。その思いが彦四郎を潔斎したのだった。

「ときに、小文吾。ひとつ気になっておることが――」

口にしたとたん、小文吾はみなまで言わせぬというふうに肯《うなず》いた。

「あ。お足《あし》のことでござるな」

「さよう。加持祈禱のたぐいは大金のかかるもので、かからぬものはおおかたまやかしと決まっておる。ましてや雑司ヶ谷の修験道場と申せば江戸随一の祈禱所にて、敷居を跨《また》ぐのは大名旗本、大店のあるじ、千両役者か横綱大関、吉原の御職太夫《おしよくたゆう》といったところであろう。百両二百両といわれたのでは埒《らち》もないが、できるだけの工面はするゆえ言うてくれ。おぬしに迷惑をかけるわけには参らぬ」

「あー、それはよいよい、心配なさるな」

「よくはない。祈禱料はいったいいくらなのだ。払えるかどうかはともかく、聞くだけは聞いておかねば後生《ごしよう》が悪い」

彦四郎が詰め寄ると、小文吾は「あー、困ったのー」と言って頭を抱えてしまった。

「困っておらずに聞かせてくれ。いや、おぬしも困るくらいの大金なら、何としてでも工面せねばなるまい。払いはこの暮の一括でどうだ。それならまだ間がある」

「あ。いくら何でも正月のツケを暮に払うわけには参りますまい」

「それもそうだな。ではちかごろ流行《はや》りの長期月賦《げつぷ》でどうだ。相応の利息は覚悟する。何なら親子二代がかりでもよい」

「あー、それは彦さん。おまえ様のお子はすでに無縁じゃによって、かなわぬ、かなわぬ」

ざくりと胸を抉《えぐ》られて、彦四郎は落胆した。

「言うてくれ、小文吾。いったいいかほどなのだ」

「あー、百両二百両の金なら、おまえ様には言わずにわしひとりで何とでもする」

「のう、小文吾。その持って回った言い方はやめてくれぬか。気を持たせて面白いのは果報な話、すっぱり言うべきは因果な話だぞ」

「あー、そしたらすっぱり言う。白龍様の御祈禱料は千両。ツケも月賦もききませぬ」

百鬼夜行が目の前を通り過ぎた。

「せ、せんりょう……」

千両という金は、御禄《おろく》や給金の単位ではない。せいぜい思いつくところといえば、すでにご禁制の富籤《とみくじ》の、湯島天神の一の富が千両であったと聞くが、それとて誇張された落語の種《ねた》かもしれぬ。要するに七十俵五人扶持《ぶち》の御徒士《おかち》にとっては、見たことも聞いたこともない金であった。

「のう、小文吾。今さらこう申すのも何だが、おぬしはやっぱり馬鹿か」

「あ。馬鹿は今さらではのうて、生まれつき」

「どうするつもりなのだ。親子二代どころではない。こつこつ返しても七代ぐらいはかかろう。だとするとだな、七代がかりで借金に祟《たた》られるか、それとも修験を殺して七代祟られるかの瀬戸際《せとぎわ》であろうぞ。おい、聞いているのか、この馬鹿タレ」

「あー、ですからツケも月賦もきかぬと。すなわち、千両はもうお支払い済み」

通り過ぎた百鬼夜行が、ふたたび踵《きびす》を返して彦四郎の前を駆け去った。

「……お支払い済み、とな」

「あ。わしはそのことを、彦さんにどう伝えてよいやら、往生して頭を抱えていたのだ」

「もうよい。何を聞いても驚かぬ。さっぱりとありのままを申せ。持って回るなよ。千両の大金をどこでどうこしらえたか、一言で申してみよ」

「あ。それは、海軍副総裁の榎本和泉守《いずみのかみ》様に頂戴《ちょうだい》した。有難いことよのう、なむなむ」

一言で言うて欲しくはなかった。相も変わらず聞かぬふりの亭主が、芳《こう》しい焼団子を運んできた。

「またぞろご面倒なお話のようでございますが、他人《ひと》さんの善意に臍《へそ》をお曲げになっちゃなりませんよ」

この親父の一言には、袖闇《そでやみ》に響く一丁の柝《き》のような冴《さ》えがある。

彦四郎は心を平らかにして、小文吾の話を聞くつもりになった。

いっこうに要領を得ぬ小文吾の語り口を、例によって理路整然たる事実に翻訳すればこういう次第となる。

——昨年の暮も押し詰まったある晩、小文吾が御本丸檜之間《ひのきのま》の小十人組番所で、宿直《とのい》についていた折のことである。

夜もとっぷりと更《ふ》けた亥《い》の刻すぎに、前を押さえて駆けこんだ厠《かわや》で、西洋軍服に断髪という奇怪な男と出食わした。

「おう、べつだん怪しい者じゃねえぞ。海軍副総裁の榎本だ。斬《き》るな、斬るな」

夜更《よふ》けまで中座もままならぬ評定を重ねていたのであろうか、果てもない長小便であった。厠の外でひれ伏したまま、小文吾は尿意に堪《こら》え切れず呻《うな》り声を上げた。

「おい。遠慮せずに連れ小便しろや」

ははっ、とお誘いに甘んじて、小文吾は御奉行様と肩を並べた。

「この年の瀬に、宿直役もご苦労だなあ。どこの御番組だい」

「ははっ。小十人組にござりまする」

「ふうん、小十人組かあ。俺の幼なじみも御組頭をしていた。知ってっか、井上彦四郎っての。もっとも今じゃ離縁されて、別所彦四郎だがね」

「ははっ。存じるも何も、かつて拙者はそのお方の組付でござりました。それはもう、何から何まで面倒をおかけいたしました」

「そうかい。あれはひとかどの侍だが、運が悪い。今は紅葉山の御蔵でくすぶってやがる。詳しいことは知らねえが、俺がオランダに留学している間、ひどい目に遭《あ》ったらしい」

「まあ、運が悪いと申せばそれまででござりまするが、あのお方の場合は、ちょっとやそっとの不運ではござりませせぬゆえ」

そのあたりで、さすがの長小便も終わった。榎本は手水《ちょうず》を使いながら、「その不運な話を聞かせちゃくれねえか」と言った。

言葉が過ぎたと小文吾は思ったのだが、憑神の件はともかく、井上軍兵衛の陰謀を訴えるにはまたとない機会であると思い直した。で、請《こ》われるままに御用部屋へとお伴《とも》した。

榎本は小文吾の要領を得ぬ話を、懇切に聞いてくれた。ところが、井上軍兵衛の屋敷が焼けたこととか、兄が病に倒れて御蔵役を手代りしたことなどに至れば、憑神の件に触れずに話は進まなくなった。

洋行帰りの御奉行様に怪力乱神のたぐいは通じまい、とは思うても、それを語らねばまるで話の辻褄《つじつま》が合わぬのだから仕様がなかった。えい、ままよとばかりに、小文吾はことの経緯を洗いざらいしゃべってしまった。

一笑に付されるかと思いきや、榎本は怪異譚《たん》を真剣に聞いた。

「信じるか信じねえかじゃなしに、ともかく彦四郎の命を救わにゃなるめえ。あれはこの先の日本に、なくてはならぬ人材だからな」

さあどうする、と問われても小文吾が思いつく手だてといえば、憑神祓いの護摩を焚《た》くことぐらいである。貧乏神、厄病神《やくびょうがみ》というあたりまでは小文吾の験力も多少は通用したが、死神にはまったく太刀打ちできぬ。すっかり老耄《ろうもう》した白龍様が、死神を祓えるかどうかはわからぬけれど、挑んでみるだけの価値はあろうと小文吾は進言した。

「にしても、千両たァ畏《おそ》れ入った。もっとも御金蔵の小判なんざ、いずれ薩長どもが乗っこんでくれァ、どこへ消えるかわかったもんじゃねえ。任せときな」

かくして、その暮のうちに海軍御用金の名目で、千両箱が雑司ヶ谷の修験道場に運びこまれたのだった。

榎本は実に恬淡《てんたん》たる人物で、それから何を言うてくるでもない。大枚一千両の出どころの経緯とは、およそそんなふうであった。

「――ふむ。話はだいたいわかった。有難いといえば有難いが、あの釜次郎《かまじろう》に恩義を蒙《こうむ》ったと思うといささか口惜しい」

茶店の亭主は団子を焼きながら、じろりと彦四郎を睨《にら》みつけた。臍曲がりめ、とでも言いたげである。

榎本釜次郎という侍の並はずれた能力と、新しき世を夢見る無私の情熱は認める。しかし彦四郎は、あくまで徳川の世にこだわった。

「わしは、義理には縛られぬぞ」

おのれの心に言いきかせるつもりで、彦四郎はきっぱりと言った。

「あー、彦さん。それでよい、それでよい。榎本様はけっして彦さんに恩を売ったわけではないのだ。人材を惜しんだだけじゃによって、義理を感ずることはない」

「おぬしは簡単に言うがよ、わしはこう見えても、かつては昌平坂にその人ありと知られた孔子様の弟子ゆえ、人一倍に義理を感ずるたちなのだ。しかし、これぱかりは恩に着せられてはならぬ。何となれば、わしは日本国民たる以前に、ひとりの武士たるべきと信ずるからだ」

難しいことを言うてもわからぬか、と思いきや、小文吾は張り出た鰓《えら》をぶるぶる震わせて抗った。

「あ。それは古い、古い。すでに上様は大政を天朝様にお還《かえ》し奉《たてまつ》り、天下は徳川のものではのうなった。じゃによって、この先は武士も御家人もない。この期《ご》に及んで武士の御家人のとこだわるのは、西洋科学をさしおいて護摩を焚くようなものじゃ。あー、そういうおのれが悲しゅうなる、あー」

　榎本釜次郎の胸のうちも、小文吾の言うことも理解できぬ彦四郎ではなかった。ただ、新しき世を造るのも義の道ならば、古き世にこだわる義の道もなければおかしいと思った。すなわち、古き世の義が輝かしければ輝かしいほど、それに代わる新しき義は強くたくましいものとなるはずであった。腐り切った旗本御家人の中にあって、たとえ身は貧しくとも賤《いや》しくとも、古く輝かしい武士道を頑《かたく》なに掲げる者こそが関東武者であり、三河武士であると彦四郎は信じた。

　八幡太郎義家公より八百年、大権現《ごんげん》家康公より二百五十年にわたる武士の世が覆《くつがえ》るのであれば、掉尾《とうび》を飾るにふさわしき武士はけっして怯懦脆弱《きょうだぜいじゃく》なる者であってはならなかった。むしろ八百年の武士の誰にも増して強く猛《たけ》き者でなければ、それに代わる新しき世は、よく外国の圧力に堪えぬであろうと思った。

　しかし、ではおのれに何ができるのかと自問すれば、今の彦四郎には答えがなかった。

「町人の分限をわきまえず、ひとこと申し上げてもようございますか」

　思い屈して顔を上げると、茶店の亭主がにこやかに微笑《ほほえ》みかけていた。

「いえね、うちの店は半蔵御門と四谷の大木戸の途中にありますもんで、いろんなお客さんがお見えになりましてね。世間の噂話《うわさばなし》はまずまっさきに飛びこんで参ります」

ほう、と二人は亭主を見つめた。どうやらためになる噂を聞かせてくれるらしい。

茶店にほかの客はいない。亭主は夕まぐれの広小路を行く人影をやり過ごしてから、片襷《かただすき》をほどいて近寄ってきた。二人の顔を手招き、腰を屈《かが》めて囁《ささや》く。

「ここだけの話でございますが、鳥羽伏見はさんざんの敗け戦だったそうで」

思わず腰が浮いた。世の中、凶事が吉と伝わることはあっても、吉事が凶と伝わるはずはない。すなわち、凶の噂に疑いようはなかった。

「畏《おそ》れ多くも公方《くぼう》様は、鳥羽伏見の戦場に軍兵《ぐんぴょう》を置き去られて、さっさと大坂城を落ちられたそうでございます。それが正月六日。翌《あく》る七日には公方様のおいとこ様に当たられる有栖川《ありすがわ》宮様を御大将に奉じて、徳川慶喜《よしのぶ》追討の御勅諚《ちょくじょう》が下されましたとか」

「おい、きょうは何日だ」

と、訊《たず》ねる声も裏返った。

「あー、正月の十一日じゃー」

答える小文吾の声は鶯《うぐいす》のごとく間延びした。指折り算《かぞ》えれば、関所も乗り打ちの早馬がもたらしたほやほやの報《しら》せであろう。

「して、上様はいかがなされたのだ」

ただひとり落ち着き払った声で、亭主は言った。

「はい。これも確かな筋の噂ではございますが、大坂天保山《てんぽうざん》沖から軍艦にお乗りあそばされ、本日にも江戸にご帰還なされるかと」

彦四郎は立ち上がって身仕度を斉《ととの》えた。物事に動ぜぬ茶店の亭主が改まって口にするからには、もはやこの凶報に疑いようはなかった。

「あ。どうなさるのだ、彦さん」

「どうもこうもあるか。上方には同輩の御徒士衆も、小十人組も馳《は》せ参じておる。会津桑名は本来われら御家人が務めねばならぬ都の守護を、かわって相務めて下さった。その忠義な家来を戦場にうっちゃってさっさとお逃げあそばされるとは、いったいぜんたいどのようなご所存か、わしは徳川の臣として問い質《ただ》さねばなるまい」

小文吾があわてて彦四郎の袖《そで》にすがりついた。

「あー、あー、それはまずい。おまえ様は問い質すどころか全然御目見得以下の分際じゃ。そんなことをしようものなら、たちまち無礼討ち。なむなむ」

それもそうだと、彦四郎は肩の力を抜いた。しかし、せめてご帰還の行列を路端からでも拝し奉り、心ひそかに諍議《せんぎ》申し上げたしと思った。

亭主も彦四郎を諫《いさ》めた。

「まあまあ、手前もちょいと申し上げ方がまずかった。ご聡明《そうめい》な公方様のことゆえ、逃げたと見せて何やらお肚《はら》積もりがあるのやもしれませぬ」

「たとえば」

「そうでございますな。たとえば、軍勢を立て直すためのお中帰《なかがえ》り、とか」

なるほど。鳥羽伏見では一敗地にまみれたとはいえ、上方に従軍していた旗本御家人はごく一部にすぎぬ。ここは御大将がひとまず東帰し、捲土重来《けんどちょうらい》いまだ知るべからざる決戦を期して、兵を集むるのが道理であるかもしれぬ。

「いささか短慮でござった。拙者、これより御留守居の徒士のひとりとして、ご東帰あそばされる上様をお迎えに上がる。むろん、御目見得以下の分際であるによって、路端に平伏してお駕籠《かご》をお迎え奉る。これ、小文吾。おまえはいかがいたす」

「あー、そういうわけでござるなら、わしも留守居の小十人組士ゆえ、さようにいたそう。御家人としては当然の務めじゃ」

善は急げとばかりに、二人は茶店を出た。

冬の日はすでに昏《く》れ、広小路は黒洞々《こくとうとう》たる闇に呑《の》まれていた。

「毎度ありがとう存じます。またのお越しを」

亭主の声に送られて歩み出したとたん、二人は同時にあっと叫んで立ちすくんだ。

深い闇の底から、手鞠唄《てまりうた》が聴こえてきたのである。

てんてんてんまり　どちらにござる
お濠《ほり》をこえて大手門
三の丸　二の丸　御本丸
てんてんはずんで　もみじ山
権現さまのお膝《ひざ》の上じゃ
てんてんてんまり　どうにもならぬ
どうにもならねば　どうしよう

空耳にちがいないと気を取り直すそばから、真赤な手鞠を追って死神が走り出た。

「おじちゃん、こんばんは」

おつやは彦四郎を見上げて、にっこりと笑った。

「あのね。あたい、験力《げんりき》なんて痛くも痒《かゆ》くもないの」

あー、と息を吐きつくすような声を上げながら、小文吾があばた面《づら》を被《おお》ってしゃがみこんだ。

「あなおそろしやー。ということは、白龍様はどうなった」

鞠を胸前に抱えて、おつやは「ごめんなさい」と呟《つぶや》いた。

「あー。白龍様はわしの師匠じゃ。七つのときからの親がわりじゃー。おーのーれー」

決死の印を結ぼうとする小文吾の手を、彦四郎は脇《わき》に抱えこんだ。仇討ちなど果せようはずはなく、たちまち返り討ちに遭うは必定である。

「だって、あのおじいちゃんたら、しつこいんだもの。あたいだって、できれば無駄な仕事はしたくなかったんだけど」

彦四郎はわが身を恥じた。おのれがじたばたと命にこだわれば、災難は善意の他人にも降りかかるのである。

「おつや。おまえに頼みがある」

人目を憚《はばか》って屈みこみ、彦四郎は死神の小さな肩を抱き寄せた。

「あい。宿替えをしてくれっていうのなら、あたいはそれでもいいよ。おじちゃんのこと大好きだから」

いいや、と彦四郎はかぶりを振った。死神の申し出は有難いが、そのつもりはなかった。

「わしに、今少し時をくれぬか。わしはわしなりに苦労をし、苦労のつど物を考えて参ったつもりだ。人間はいつか必ず死ぬ。だが、限りある命が虚《むな》しいのではない。限りある命ゆえに輝かしいのだ。わかるか、おつや。命に限りのない神に、わしのこの思いをわかってほしい」

彦四郎はそう言ってじっと死神の目を見つめた。すると信じ難いことに、彦四郎の掌《たなごころ》にくるまれたおつやの頰《ほお》に、紛《まご》うかたなき涙が伝い落ちた。

「わかってくれるのだな」

「あい」

「おまえも、九頭龍《くずりゅう》も、伊勢屋も、神々はみな力がござるが、人間のように輝いてはおらぬ。死ぬることがなければ、命はけっして輝きはせぬのだ。しかし、わしの命にはまだ輝きが足らぬ。必ず、この残された命を必ず光り輝かせるゆえ、今少し時をくれ。そう長くは要らぬ。せめて半年、いや、三月か四月でよい。どうかわしのわがままを聞いてくやれ」

死神の涙は滂沱《ぼうだ》と彦四郎の腕を伝った。なにゆえ神が嘆く。それは彦四郎の思い至った結論に、あやまりがないからだった。人間が全能の神に唯一《ゆいいつ》まさるところがあるとすれば、それは限りある命をおいて他にはあるまい。限りあるゆえに虚しい命を、限りあるからこそ輝かしい命となせば、人間は神を超克する。その真理を聞いて、死神は涙したのにちがいなかった。

「おじちゃん、そんなことできっこないよ」

「いや、できるできぬではなく、やらねばならぬ。頼む、おつや。わしに時をくれ」

彦四郎はおつやを抱きしめた。憾《うら》みなき努力のわりには報われぬ人生であったが、死すると決めた人間にできぬことはないはずだと思った。わが祖は、雑兵《ぞうひょう》の命ひとつとひきかえに、太平の世を招来なされたではないか。

「あー。宿替えをせえと死神が言うておるのに、おまえ様はまったく人が好い。底抜けのお人好しじゃー」

小文吾のなむなむという念仏は、声にならずに嘆きとなった。

二十二

前《さきの》将軍家、すなわち第十五代将軍徳川慶喜が、命からがら江戸に逃げ帰ったのは、翌る一月十二日のことである。

座乗する幕府軍艦開陽丸は、途中の遠州灘《なだ》で暴風に見舞われたが、榎本和泉守《いずみのかみ》の巧みな操艦で十一日に無事浦賀港に入り、そこから小舟を雇って江戸の浜御殿へと乗っこんだ。芝口の浜御殿から江戸城は目と鼻の先である。

すでに大政は奉還なされたとはいえ、将軍家の御威光とは大したもので、大樹公ご東帰の報せが入ったとたん、暮には百俵四百二十両の高値をつけていた米が、たちまち百俵七十両にまで下がった。

むろんこの米価安定の裏には、「公方様は敗けて逃げ帰ったのではなく、捲土重来を期してお中帰りあそばされた」という身贔屓《みびいき》の解釈があったのはいうまでもない。

旗本御家人はじめ、反薩長を明らかにする大名家の江戸詰家臣たちは、早くも戦ぞなえである。ことに浜御殿から橋を渡った芝口には、伊達《だて》藩の上屋敷と会津藩の中屋敷が並んでいるので、それぞれの塀ぞいには鎧《よろい》具足ものものしい武者たちが今か今かと将軍の姿を待ち受けていた。

しかし、前将軍がそれら武者たちの歓呼に応《こた》えつつ凱旋《がいせん》するはずはなかった。鳥羽伏見はさんざんの敗け戦であったうえ、「捲土重来」などはてんで上様のおつむになかったのである。

浜御殿から御城までは、中之御門を渡って愛宕《あたご》下の大名小路を行けばよほど近道なのだが、それでは気勢を上げる仙台、会津の両藩邸の前を通らねばならぬから、表御門を出て汐留《しおどめ》橋を渡るという遠回りの道筋を選んだ。それならば御城までの道中はほとんど町家ばかりである。「捲土重来のためのお中帰り」を信じている侍たちは、みな大名小路でお出迎えするので、その気のない上様一行は裏をかいたのであった。

空は真青に晴れ上がっているが、御城を越えて北風の吹きすさぶ寒い日である。

「どうした、小文吾。お出迎えならばみなみな様と同じに、大名小路にてお待ち申し上げようではないか」

幸橋《さいわいばし》御門外の芒原《すすきばら》で、小文吾ははたと立ち止まってしまった。

「あー。上様は大名小路にはお成りになりませぬ。こっち、こっち」

と、小文吾は濠ぞいに町家のつらなる方向を指さした。

「将軍家には御成道《おなりみち》というものがある。町衆の住まう道をお戻りになられるはずはない」

「あ。しかし、彦さん。わしの心眼にさよう映っておるのだ」

「まさかよ」

幸橋御門外は久保《くぼ》下原《したはら》と呼ばれる火除《ひよ》けの空地だが、いつの間にか枯芒の生い立つ曠野《あれの》に変わっていた。近ごろ江戸にはこういう景色があちこちに見受けられる。参勤交代の制が廃されて、大名の登城が少なくなったから、自然と御門の周辺が荒れてしまった。

まさかとは思うが、小文吾の心眼はたしかである。仮に大名小路からお成りあそばされても、幸橋御門はお通りになるはずであると思い、芒原のただなかでお待ちすることにした。

「あー、妙じゃ。上様はお駕籠にお乗りではない」

まだ何も見えぬ。小文吾は見えざる彼方《かなた》を心眼で見透《みとお》したらしい。

「何と。お駕籠ではないのか」

「はー、騎馬にてお帰り」

「それは勇ましい限りだ。もっとも戦からお戻りなのだから、さもあろう」

「いやいや、ちっとも勇ましゅうなぞない。あー、最低。さいてーじゃー」

「何を申すか、小文吾。上様に向こうて最低じゃなどと。たとえ心眼に何が映ろうと、言葉は慎め。おぬしは修験《しゅげん》である前に徳川の御家人ぞ」

「そうはいうても、最低は最低なのだから仕方ない。じきにわかるぞ、彦さん」

彦四郎は濠ぞいの道に遠目を凝らした。時刻は巳《み》の刻ごろ、すなわち西洋時刻で申すところの昼前十時ごろであろう。

彼方に乾いた土埃《つちぼこり》が上がった。じきに早足の蹄《ひづめ》の音も聞こえてきた。彦四郎は御徒《おか》士羽織《ちばおり》の襟《えり》を正し、北風に倒れた芒原に正座した。

御目見得以下の分際ではあるが、この機会にひとめなりとも上様のお姿を拝したいと思った。

三河安祥《あんじょう》の昔には、親しく相まみえたはずの主従である。二百五十年の時の間にその懸隔は遥《はる》かなものとなってしまった。たとえ御目見得以上の旗本でも、御廊下に平伏するばかりでご尊顔を拝することすらできぬという。しかしこの芒原に騎馬の主君を迎えるのであるから、ちらりと目を上げても無礼には当たるまい。

あたりには大名小路に向かう侍たちの姿が幾たりかあったが、近付く土埃に気付く者はなかった。

やがて劈頭《へきとう》の一騎が、早駆けに馬を走らせてきた。

「あー、上様ご側近の山岡鉄太郎様じゃ」

これは心眼ではなく、知識であろう。山岡は眼光炯々《けいけい》として、肥馬が小さく見ゆるほどの巨漢であった。

「上様お成りじゃ、控えよ！」

芒原の侍たちは、等しく意味がわからぬふうにまずきょとんと立ち止まり、それから彼方の土埃を認めて、とっさにひれ伏した。

「番人どもはその場に控えよ。上様お成りでござる！」

大声で呼ばわりながら、山岡は騎馬のまま幸橋御門を乗り打ちした。

じきに第二騎がやって来た。具足の上に白羅紗《らしゃ》の陣羽織を着、立烏帽子《たちえぼし》をきりりと冠《かぶ》った武者である。

「あー、会津様」

なぜそうとわかるかは、心眼にしろ知識にしろ大したものである。ともあれ会津藩主松平肥後守様は、彦四郎が初めて目にする権現様の御裔《おすえ》であった。そう思っただけで胸は早鐘のごとく高鳴り、両の手を地についたまま頭《こうべ》を垂れずに見上げてしまった。

土気色のお顔であった。もし彦四郎の思いすごしでなければ、そのお顔は戦塵《せんじん》にまみれているのではなく、ひたすら思いつめ、憔悴《しょうすい》なさっているかのように見受けられた。

「あー、会津様、おいたわしゅう」

小文吾は顔を被って打ち臥《ふ》してしまった。

「あー、わしには見えてしもうた。大坂城を枕《まくら》にもう一戦《ひといくさ》とおっしゃる会津様を、上様がむりやり引きずるようにして連れ帰られた。ご家来を心ならず捨ててしまわれた。

あー、お気の毒。会津様は泣いておられる」

彦四郎は面をもたげて騎馬を見送った。なるほど白羅紗の陣羽織の背は、泣いておられるようにも見えた。

第三騎が来た。鬣《たてがみ》までが白い、大きな葦毛《あしげ》馬である。馬上には錦《にしき》の筒袖《つつそで》に、たっつけの袴《はかま》をはき、裏金《うらきん》の陣笠《じんがさ》を冠った侍が乗っていた。彦四郎の目は釘《くぎ》づけになった。

「彦さん、上様、上様。これ、頭が高い」

小文吾に袖を引かれても、彦四郎は頭を下げようとはしなかった。いや、下げようにも体が動かなかった。まるで目に見えぬ父祖の力が、彦四郎の首を捻《ね》じり上げてでもいるようであった。

「おぬしの申した通り、これは最低だ」

大樹公は近付くほどに手綱を引き絞り、駒《こま》を諫《いさ》めた。早足が並足となり、やがて馬上からじっと彦四郎を見つめた。目を射るばかりの金紋拵《ごしら》えの太刀と、金覆輪《きんぷくりん》の鞍《くら》がほんの近くに迫ってようやく、彦四郎は深々と頭を垂れた。

あわわ、と息を詰まらせて、小文吾は気を喪《うしな》ってしまった。

「なにやつ」

大樹公は高く澄んだお声で仰《おお》せられた。

「畏《かしこ》くも将軍家の影武者を相務めまする御徒士にて、別所彦四郎と申しまする。捲土《けんど》重来《ちょうらい》の合戦には御役に立つべく、畏《おそ》れながら上様のお姿を拝見いたしました」

「影武者、とな」

「ははっ。わが祖は大坂夏の陣の折、畏くも東照大権現《ごんげん》様の身代りとして相果てましたれば」

大樹公は少し物思うふうをなされてから、手にした鞭《むち》の先で彦四郎の肩を軽く叩《たた》いた。

「ならば苦しゅうない、面を上げよ。かような機会は二度とあるまい」

彦四郎は顔をもたげた。まず目を奪われたのは、陣笠の裏金に象嵌《ぞうがん》された三葉葵《あおい》の御紋であった。それから、やはり土気色に沈んだお顔を見つめた。

似ている。まるで鏡を立てたように似ている。

上様が、はっと眉《まゆ》をひそめられたのは、やはりそう思われたのであろう。

「面妖《めんよう》なこともあるものじゃ」

「少しも面妖ではござりませぬ。他人の空似はままあることにござりまする」

「なるほど。権現様は家来のうちから似ている者を影武者となされたか」

「御意にござりまする。時を経《へ》、代を重ねても顔かたちは変らぬものかと」

「予は権現様に似ており、そちは祖に似ているゆえ、予とそちは似ているというわけだな」

「御意にござります る」

目から鼻に抜けるという評判だけは、まことであると彦四郎は思った。このご聡明《そうめい》ぶりも権現様のお血筋にちがいない。ただし、権現様は兵を捨てて逃げるような卑怯《ひきょう》者ではなかったが。

「折あらばよろしゅう頼む」

「御意、有難く承りました」

大樹公のうしろには、続いてやって来た騎馬が轡《くつわ》を並べていた。

「上様、何かご無礼が」

おそるおそる訊《たず》ねる声に答えて、「かまわぬ。旧知の者じゃ」と、大樹公は馬首を返した。

手綱さばきはみごとだった。将軍に続いて、伴の騎馬は次々と幸橋御門を潜《くぐ》って行った。

「あー、つるかめ、つるかめ、あれは桑名のお殿様に御老中板倉伊賀守さまー、もひとり酒井雅楽頭《うたのかみ》さまー、あー、首がいくつあっても足らん。なむなむ」

こやつは馬鹿か利口か。人よりへこんでいる馬鹿の分だけ、妙に出っ張った利口なのであろう。

北風が穂先を薙《な》いで過ぎる芒原に、二人は長いこと腰を抜かしていた。

地上の動乱をよそに、天はまさしく新しき時代の開闢《かいびやく》を兆《きざ》す青さである。

「のう、小文吾。わしはたまたま三巡稲荷《みめぐりいなり》の祠《ほこら》に手を合わせたわけではあるまい」

空を仰ぎながら今たしかに思いついたことを、彦四郎は口にした。

「あー、わからぬ。わかるように言うてくれ」

「この天の青みの上に座す八百万《やおよろず》の神々が、さよう不埒《ふらち》な真似《まね》をなさろうはずはない。すなわち、わしはたまたま祠を拝んだのではのうて――」

彦四郎は言い淀《よど》んで唇を嚙《か》みしめた。やはり幼いころよりの努力精進に憾《うら》みはなかったのだ。誰よりも書物に親しみ、誰にもまして剣をふるうてきた。人は認めてくれなくとも、天は見ていた。

「そうではのうて、わしはこの大八洲《おおやしま》に住まう千万の民の中から、狙《ねら》い定めて選ばれたのだ。わしこそが、真の選良にちがいない」

まるで神々が諾《うべな》うように、冬空がごおと鳴った。

二十三

小名木川の土手の上には、春宵に似合いの朧月《おぼろづき》がかかっている。

慶応四年戊辰《ぼしん》の年が明けてからこの方、江戸にはまるで夢見ごこちのようなけだるい時が流れていた。何かが起こるようで何も起こらず、ただしずしずと過ぎてゆく日々は、すでに四月である。

おつやは今も時おり、別所家の夕餉《ゆうげ》を伴《とも》にする。何日かに一度、飯の炊《た》き上がる時刻になるとやってくるのである。家族はべつだん怪しむでも忌《い》み嫌うでもなく、この「近所の不憫《ふびん》な娘」に食事をふるまい続けていた。

「ねえ、おじちゃん——」

彦四郎の足元に膝《ひざ》を抱えて屈《かが》んだまま、おつやは朧月を見上げた。夕飯のあとはこうして送りに出ることが彦四郎の習慣である。もっとも送り届ける家などはない。御徒士屋敷を出ると、おつやは煙のように消えてしまうから、あとは高橋の袂《たもと》の屋台で冷酒を飲んだ。

しかしきょうはどうしたわけか、おつやは消えもせずに彦四郎の手を引いて小名木川の土手に上がった。

「あたい、何だか申しわけなくって。かれこれ四月《よつき》もごちそうになりっぱなしでさ」

「なになに、気にすることはない。母や兄嫁は、善行を施せば兄上の病も本復すると思うておるのだ。子らにとってはよき遊び相手でもあるしの」

「そうじゃなしに――」

おつやは稚児輪《ちごわ》に結った髪を、膝の上に伏せてしまった。ああこの娘は死神であったかと、彦四郎は今さら思い直した。

「早く死ね、とせっついておるのだな」

「あたいはおじちゃんのことも、みなさんのことも大好きだから、せっつくつもりはないんだけど。上のほうからやいのやいの言われちまってさ」

「ふむ、さもあろう。務めを果たせずにぶらぶらとしておれば、文句をつけられるのも当然だ。しかしのう、おつや。わしも大言壮語を吐いたはよいものの、これと定むる死場所が見つからずに往生しておるのだ。洒落《しゃれ》ではないぞ。まこと往生しておる」

実のところは、じきに戦《いくさ》が始まると思っていたのである。さすれば武士の死場所などいくらでもあるはずだが、案外のことに公方様は上野の寛永寺にお籠《こも》りになられてひたすら恭順、江戸は無血開城の運びとなった。

鳥羽伏見では一敗地にまみれたものの、公方様が江戸に帰られて軍勢を立て直せば、薩長の芋侍などひとひねり、と気勢が上がったのはせいぜい正月いっぱいのことで、時候が温《ぬく》まるにつれてまるで水面《みなも》の氷がゆるむかのように、旗本御家人の戦意は萎《な》えていった。

城内の確かな噂《うわさ》によれば、肝心要《かなめ》の大樹公に尊皇恭順の志は固く、ために抗戦を唱える大名旗本はみな遠ざけられて、城中は戦を回避せんとする勝安房守《あわのかみ》のひとり舞台であるという。

「まことに情けない」

と、彦四郎は呟《つぶや》いた。死場所を得ぬわが身は情けないが、いかに台慮《たいりょ》とはいえ戦もせずに城を開いた江戸そのものが情けなかった。

進退きわまるとは、まさにこのことであろう。死神に延命を懇願したあげく、ついに死にどころを得ぬのである。ほかの侍たちは恥を忍んで命ばかり永らえればそれでめでたいのかも知れぬが、おのれひとりははなから命がかかっている。ましてやそうしたおのれに情けをかけた死神も、今や立つ瀬があるまい。

「あたいはあたいなりに、いろいろと考えてみたんだけどね」

と、おつやは膝小僧を抱えたまま諭《さと》すように続けた。

「この際だから、やっぱし宿替えをしちまったほうがいいよ。ね、そうしようよ、おじちゃん」

彦四郎はおつやのやさしさに心打たれた。

「何を今さら。よいか、おつや。わしは命を惜しんでおるのではないぞ。武士としての死にどころを探しあぐねているだけだ」

「それはわかってるよ。でもね、世の中がこんな具合になっちまったんだから、もうどうしようもないさ。ね、宿替えしようよ」

晩《おそ》い春の香を含んだ川風が、悩める神と人とをほっこりとくるみこんだ。まるで天上の朧月までもが、そうせよと言うているような気がした。

怯懦《きょうだ》であるとおのれを戒めながら、それでも宿替え先をあれこれと考えたのは、人情というものであろう。

「安房守様に振る、という手はないでもない」

言うたとたん口元が歪《ゆが》んだが、けっして冗談ではなかった。旧幕臣たちに抗戦の意志がないわけではない。大樹公のご台慮に添うた恭順論がそれらを圧倒しているだけで、その要たる勝安房守が頓死《とんし》すれば、事態は急転回を見るやも知れぬ。

これは妙案だと彦四郎は思った。むろん江戸を枕《まくら》に一戦となれば、おのれも徳川の臣として働く。そのうえあえて討死すれば、あっぱれ武士の本懐と言えよう。

思わずぽんと叩《たた》こうとする彦四郎の手を、おつやが立ち上がって握り止めた。

「そうじゃないよ、おじちゃん。どうせ宿替えをするんなら、もっといいやつがいるじゃないの」

はて誰であろうと首をかしげる彦四郎の耳元に伸び上がって、おつやは思いがけぬ人の名を口にした。

「く、ぼ、う、さ、ま」

彦四郎はわっと声を上げて仰天した。大政は奉還し、征夷《せいい》大将軍の官位は褫奪《ちだつ》されたとはいえ、慶喜公が主君であることに変わりはない。家来があるじを弑《しい》するなど、神仏を殺すも同じである。

「そんなにびっくりすることないと思うけど」

「ならぬ。それだけはならぬぞ。よいか、おつや。わが別所家はの、わずか七十俵五人扶持《ぶち》の御徒士とは申せ、父祖代々将軍家の近侍としてお仕えしてきたのだ。その大君に畏れ多くも死神を振るなど――」

「でも、あいつは最低よ」

「最低はわかっておる。まがいものの錦旗《きんき》に畏れをなし、鳥羽伏見の戦場に御家来衆を残してお遁《のが》れになったうえ、捲土重来も期せずにひたすら恭順なされるとは、言わずもがな最低の侍じゃ。しかし、わが主君たることに変わりはない。権現様の御裔《おすえ》たられるお方であることにちがいはないのだ」

「だったら、会津様はどうなのよ。やっぱし権現様の御裔じゃないの。あいつはその会津様に罪をぜんぶなすりつけて、ひとりだけいい子になっちまってる」

「わしは、会津の臣ではのうて徳川の家人だ。忠節をつくすは徳川御宗家のほかにない」

「あたい、ちょいと頭にきてるんだからね。いいよ、だったら勝手に宿替えする」

「待て」

と、抱き止めようとするそばから、おつやの体は彦四郎の腕をすり抜けて川風に紛れた。それでも煙のような死神の影は、とまどいがちに暗い川面《かわも》にとどまっていた。

彦四郎は萌《も》え始めた芒《すすき》の草むらに膝を屈し、頭を垂れて神の翻意を請《こ》うた。

「しばらく、しばらく待たれよ。別所彦四郎、今生《こんじょう》のお願いにござる。かように武士道の廃《すた》れた世にござっても、拙者《せっしゃ》は武士にござりまする。三河安祥《あんじょう》以来、武士の誉《ほまれ》たる徳川家譜代《ふだい》の侍にござりまする。武士たるもの、男たるものの命を捨つる場所は、必ずやおのが手にて探し当てまする。今しばらく、今しばらく知恵を絞る時をお与え下されよ。拙者は武士として男として、いや、人間として八百万の神々に選ばれし者と信じますれば、人間たる者の矜《ほこ》りにかけて、きっとご神意に添い奉《たてまつ》りまする。なにとぞ、なにとぞ」

彦四郎は朧月を見上げて、滂沱《ぼうだ》たる涙を流した。人間という生きものが、これほどつらいと思ったためしはなかった。

「なあるほどなあ――したっけ彦さん、死神の言うことも道理にァちげえねえんだぜ。腰抜け侍どもはどうか知らねえが、江戸ッ子はみんなあの御大将を憎んでいる」

彦四郎の酔いに任せた愚痴を聞きながら、夜鳴き蕎麦《そば》屋の親爺《おやじ》はいかにもいまいましげに、煙管《きせる》の雁首《がんくび》を屋台の袖《そで》に打ちつけた。

「考えてもみねえ。水戸者《もん》の御大将と成り上がりの金上げ侍《ざむれえ》が、このお江戸をいいようにしやがったんだぜ。ご政道を天朝様にお還《かえ》し奉ろうが、戦もせずに御城を開こうが、そんなこたァ俺っちの知ったこっちゃねえ。だがよ、何をしゃべってやがるかもわからねえ薩摩長州の田舎侍が、戎服《えびすふく》にダンブクロをはいて、袖にァこう、偉そうな錦切《きんぎれ》を貼《は》りつけての、江戸前の蕎麦をたぐって銭も払わんじゃあ、こちとら腹も立つぜ。俺っちがそんなみじめな思いをせずばならねえのも、元を正せァみんなあの上様のせいだ。いってえ、権現様や有徳院《はちだい》様のお血は、どこに行っちまったんだか。たぶん長え間に夜這《よば》い事か何かで、とっちげえちまったにちげえねえとみんなして噂してるんだぜ」

聞くほどに彦四郎は身の縮む思いがした。口にこそあえて出さぬが、親爺は公方様や安房守様ばかりを責めているのではなかった。大方の旗本御家人が命を惜しんでなすがままになっているのはたしかだった。

「知ってっか、彦さん。公方様はの、命からがら軍艦で上方を逃げ出すとき、大坂城に権現様以来《いれえ》の金扇馬標《きんせんうまじるし》を忘れてきなすったそうだ」

「まことか」

盃《さかずき》を持つ手が止まった。金扇の御馬標は源氏の棟梁《とうりよう》たる徳川の徽《しるし》である。ともあろうにその御馬標を、やがて敵が乗っこむ大坂城に忘れてきたとは信じ難い。

「おうよ。こんな話を洒落や冗談で誰が言えるってんだ」

「で、御馬標は奪われたのか」

「いんや。手下《てか》を連れて大坂まで出張っていた新門《しんもん》の辰五郎親分がよ、すんでのところで運び出した。で、豪気なもんだの、三社祭の御輿《みこし》よろしく、新門の一家が金扇をわっしょいわっしょいと担《かつ》いで、東海道を駆け戻ってきたそうだ。わかるかえ、彦さん。江戸ッ子の心意気はちっとも錆《さ》びちゃいねえのに、侍ばかりがくすぶっちまったってことさ」

忘れたではすまされまい。大坂城に詰めていた旗本御家人の、誰も忘れ物に気付かなかったはずはなかった。要するに、御馬標を捨てて逃げるほど、徳川の武士は腐ったのだ。

「喧嘩《けんか》ってのァ、勝ち負けじゃあねえ。勝ちっぷりと負けっぷりだ」

親爺の言葉を、彦四郎は重く受け止めた。子供ですらわきまえている喧嘩の道理を、侍たちはみな忘れてしまった。

江戸には怠惰な時が流れていた。すべては戎服にダンブクロをはいた、官軍のなすがままであった。多くの御家人たちは、おのおの屋敷にて別命を待てと告げられていた。その侍たちのなすすべもない怠惰が、江戸の空気になっていた。このさきどうなるにせよ、負けっぷりの悪さからするとこの上はないという気がする。

「頼みの綱は、上野のお山の脱走どもか」

彦四郎が独りごつように呟くと、親爺はふんと鼻で嗤《わら》った。

「あんなもん、屁《へ》のつっぱりにもなりゃすめえ。脱走脱走と、はたはほめそやすがよ。

けのこった」

「しかし、上野のお山には大樹公がおられる。謹慎恭順と申されながら、脱走どもに担がれてあっぱれ最期《さいご》の一花を咲かせて下さるやも知れぬぞ」

「そう思いなさるんなら、彦さんも脱走なすったらどうでえ。江戸の御家人様が、上野のお山を枕に討死とくれァ、これにまさる本懐はあるめえ」

「やはり、そうだな。それしかない」

と、盃を置いて立ち上がろうとする彦四郎を、親爺は強い声で諫《いさ》めた。

「待ちねえ。おめえさんはまだご存じねえようだが、公方様はとうに水戸へと落ちなすったぜ」

「何と、それはまことか」

「おうよ。担ぎ出される前《めえ》にまたぞろお逃げ遊ばしたってわけさ。上野の脱走どもはまたしても鳥羽伏見と同《おん》なしにおいてけぼりだとよ。さあ、どうする。これでもうおめえさんも打つ手はあるめえ」

悪態をつきながらも、彦四郎を見つめる親爺の目はやさしかった。提灯《ちょうちん》のあかりの中に首を伸ばして、親爺は他人とは思えぬ声で叱《しか》ってくれた。

「やい、彦さん。俺ァおめえさんの父親《てておや》や爺様になりかわって言うぜ。あのごくつぶしの水戸者に死神を振って、命を大切にせえ。このさきどんな世の中になったって、いんや、新しい天朝様の世の中になればこそ、おめえさんはきっと出世なさる。こんな夜鳴き蕎麦屋だってガキのころから見てりゃあそう思うんだ。ましてやお天道《てんとう》様が見ていねえはずはあるめえ。な、そうしろ。そうしてくれろ。この通りだ」

親爺は洟《はな》をすすりながら、すっかり禿《は》げ上がった月代《さかやき》を彦四郎の前に晒《さら》した。

二十四

ご足下の蔵の内より、紅葉山《もみじやま》の東照宮におわしまする権現様の御《おん》みたまに、畏《かしこ》みてお伺い奉りまする。

拙者、別所彦四郎と申す平徒士《ひらかち》にござりまする。もしこの姓名の儀にお憶《おぼ》えがござりますれば、お目見得以下の分限ながらかよう物申し上ぐる無礼を、なにとぞお許し下されませ。

このところ連日のごとく霖雨《りんう》が続き、よもや大切な御影鎧《おかげよろい》に錆でも生じましてはと案じまして、待命中にもかかわらず登城つかまつりました。ただいま三十領の手入れをおえ、下城する気にもなれぬまま扉ごしに紅葉山を見上げておりましたところ、どうあっても権現様の御みたまにお伺い奉りたき旨《むね》のやむにやまれず、平伏して胸中に物申す次第と相成りました。

憑神《つきがみ》は、主君に弓引けと申しまする。かねてより事情を知りたる同輩も、親しき町人もさよう申しまする。神と侍と町人と、みなが口を揃《そろ》えて申しまするとは、おそらく天下の総意と思うて誤りなきかと存じまする。

しかしながら、拙者には総意すなわち正義であるとは、どうしても思えぬのでござりまする。

長いこと思案いたしました末、拙者は大樹公のご真意を察し奉りました。本来万民の主君たる天朝様に対し奉り弓引くことのできなかった大樹公に、どうして家臣たる拙者が弓引けましょうや。

かくして拙者は、神と人の総意に抗いまする。正義は必ずしも社稷《しゃしょく》にあらず、常におのれがうちにありと信ずるがゆえにござりまする。

武士たるものの徳目は、ひとえに勇なりと心得まする。しからばまことの勇とは、孔夫子《こうふうし》が曾子《そうし》に諭したごとく、自ら《みずか》反《かえり》みて縮《なお》くんば千万人と雖《いえど》も吾往《われゆ》かんの大勇にほかなりませぬ。少くとも数の多寡《たか》に阿《おもね》ること、あるいは世間の風評に乗じて自らを処することが、武士の勇ではござりますまい。

ゆえに拙者は、大樹公にも勝安房守様にも、憑神を転じようとは思いませぬ。いや、さような行いはそもそも士道に悖《もと》るとかねがね学びましたるゆえ、この死神ばかりはおのが身に背負いまする。

しからば、畏くも大権現家康公の御みたまにお伺い奉りまする。八百万《やおよろず》の神々の意に添うて、この命を全《まっと》うする手だてを、なにとぞお教え下されませ。わが祖が権現様をお守りして太平の世を開いたごとく、新しき世の礎《いしずえ》となる方法をお示し下されませ。

権現様は死して護国の神となられましたが、拙者のごとき下賤《げせん》の侍は仏にこそなれ神にはなれませぬ。ならばせめて、有為の人間として死にとうござりまする。

その一死こそが、武士の本懐と信じおりますれば。

臣、別所彦四郎直篤《なおあつ》、徳川の殿軍《しんがり》の一兵として死にとうござりまする。その手立てを、なにとぞお教え下されませ。伏して御願い奉りまする。

――傘を叩く雨音が近付いてきて、彦四郎は我に返った。

紅葉山に向かって平伏した指先に、雨に汚れた革靴の先が向き合った。

「何をかしこまっておるのだ。おぬしらしくもない」

はて誰であろうと面《おもて》を上げれば、ダンブクロに刀を差して佇《たたず》んでいるのは意外な人物であった。

「これはこれは、どなたかと思えば御使番様《おつかいばん》」

官軍の巡察かと思いきや、彦四郎とは因縁浅からぬ御使番の青山主膳である。蛇《じゃ》の目《め》ならぬ真黒な蝙蝠傘《こうもり》をばさばさと振って露を払いながら、青山は変節の言いわけをした。

「まあ、幕府もかような御始末となったからには、身の振り方もそれぞれだがの。榎本君のように軍艦を奪って蝦夷地《えぞち》に向かおうという信念も立派なものだが、いち早く新政府に出仕してお役に立つほうが正道でござろう」

官軍の主力はすでに奥州征伐の途についており、江戸が手不足であるのは明らかなのだが、幕臣が早くも召し抱えられたという話は聞かぬ。腹が立つよりも、その変わり身の早さがふしぎでならず、彦四郎は青山に訊《たず》ねた。

「使番は大名火消の勤情を監察する御役目がござるでの。各大名家とは親しく付き合うて参ったのじゃ。とりわけ高輪《たかなわ》の薩州屋敷、霞ヶ関の芸州屋敷は拙者の所轄《しょかつ》でござったゆえ、両藩の知己よりご推挙を賜って新政府に仕官がかのうたというわけよ」

臆面《おくめん》もなき答えである。今はどのような御役についているのかは知らぬが、御使番のころには大名屋敷からさんざ袖の下を受け取り、その伝《つて》をたどってたちまち官軍の一員になるとは呆《あき》れて物も言えぬ。しかもその得意げな表情からすると、頭の中には何の恥ずるところもあるまい。

「榎本様はご立派でござりまする」

と、彦四郎はせめて青山の顔を睨《にら》み上げながら言った。海軍副総裁の榎本和泉守《いずみのかみ》は軍艦引き渡しに頑として応じず、幕府海軍を率いて品川沖にとどまっている。いずれは脱走どもとともに蝦夷地へ向かうというもっぱらの噂《うわさ》であった。官軍にあからさまな抵抗をした幕閣は、彼ひとりと言ってもよかった。

「身の振り方は人それぞれじゃ。ところで――」

と、青山主膳はさすがに話頭を転じて、霖雨の降りしきる空を見上げた。

「官軍参謀の中松様が、おぬしをお呼びじゃ」

彦四郎はふと首をかしげた。長州藩の中松与平という名は耳にしたことがある。西ノ丸御殿に進駐して、江戸城内を差配している官軍参謀である。

「はて、参謀様が拙者のごとき御蔵番に、何用でござりましょうか。粗相をいたした覚えはございませぬが」

「悪い話ではあるまい。中松様は旧幕臣中よりこれぞという者を選《え》り抜いて、新政府に迎え入れる算段をなさっておられる」

青山は至極あっさりと言ったが、彦四郎の動顚《どうてん》はなまなかではなかった。「それぞれの身の振り方」という唾棄《だき》すべき青山の台詞《せりふ》が、濡《ぬ》れた衣のように頭から被《おお》いかぶさったような気がした。

「拙者には、さようなつもりは毛頭ございませぬ」

ばかか、とでも言いたげに青山は彦四郎を見くだした。

「ともかくお目通りせよ。よいか、別所。悪いことは言わぬゆえ、変節の不忠のなどという文句はゆめゆめ口にするでないぞ。たかだか御徒士の分際で新政府のお目に留まるとは、どのような理由かは知らぬが果報にちがいない。さあ、立て」

わけのわからぬまま、彦四郎は身仕度を斉《ととの》えて御蔵を出た。降りしきる雨はしとどに御役羽織の背を濡らしたが、青山のさしかける蝙蝠傘の下に入る気にはなれなかった。

西ノ丸御殿は戎服にダンブクロの官兵たちにすっかり占拠されていた。御廊下には土足の踏跡が乱れており、あちこちの座敷から野卑な西国訛《なま》りの大声が聴こえた。

物珍しげな視線を、身を屈《かが》めて躱《かわ》しながら案内された先は、奥まった大広間である。

「おうおう、待ちくたびれたぜ。まあそう鯱鉾《しゃっちょこ》張らずにこっちへこい」

彦四郎は敷居ごしに平伏したまま、わずかに顔を上げた。裃《かみしも》姿の侍が下段の間に座って、扇子の柄を向けていた。

「勝安房守様だ。ご挨拶《あいさつ》せい」

御廊下に並んでひれ伏した青山が囁《ささや》いた。

「分限わきまえず参上つかまつりました。御徒士十五番組、別所彦四郎にござります る」

名乗る声も緊張で裏返った。落ちつけ、と彦四郎はおのれを叱咤《しった》した。

あろうことか上様の御座所たる上段の間に、官軍参謀がどっかと床几《しょうぎ》を据えていた。西洋軍服の上に錦《にしき》の陣羽織を着、勝者の威風たっぷりとした中松与平である。そのかたわらには小ぎれいななりの小姓が、官軍の将の徽《しるし》たる獅子《しし》頭《がしら》の冠《かぶ》り物を捧《ささ》げ持っていた。

一瞥《いちべつ》したなり床の間に立てられた錦旗《きんき》が目に飛びこんで、彦四郎は再び額を敷居にこすりつけた。

「こっちへこいって。俺ァおめえさんのことなんざ良くは知らねえけど、この中松さんとは見知った仲だそうじゃねえか」

安房守様はいったい何の勘違いをなさっておられるのだろうと訝《いぶか》しみながら、彦四郎は目を伏せたまま座敷に膝《ひざ》を進めた。

「別所さん。頭を上げてようくご覧なさいまし」

どこかで聞き憶えのある声が降り落ちてきた。おそるおそる顔をもたげたとたん、彦四郎は「ああっ」と声を上げてのけぞった。

「まあそう驚かれませぬよう。とは申しても、驚くなというほうが無理か」

気を取り直して、彦四郎は中松与平を指弾した。

「なんだなんだ、いったい何がどうなっているのだ。なにゆえ麹町広小路《こうじまちひろこうじ》の茶店の亭主がここにおる」

さすがに中松は、月代に手を当てて照れた。それから、こほんとひとつ咳払《せきばら》いをすると、侍の地声に改めて言いわけをした。

「数々のご無礼はお許し下されよ。拙者、長らく江戸詰の長州藩士でござったが、藩邸引き上げの折に密命を承って、茶店の亭主に身を変えておったのだ」

「おのれっ、長州の間者であったか」

思わず刀の柄《つか》に延びる手をかろうじて拳《こぶし》に振り上げ、彦四郎は膝立って叫んだ。しかしまさか、江戸城を取りしきる官軍参謀に殴りかかるわけにもゆかぬ。

「おのれっ、おのれっ。間諜《かんちょう》も戦のうちゆえ、それを今さらどうこうは申さぬ。にしても、そこもとは拙者の秘密をあれこれと知っておるはずだ。この期に及んで晒しものにするつもりか」

勝安房守は笑い転げながら「まあまあ」と宥《なだ》め、青山主膳が息巻く彦四郎の背を羽交い締めにした。

「そうではない。おぬしの苦労などけっして口にはせぬ。もっとも、誰に言うたところで信じはせぬであろうがの。そうではなくて、拙者はおぬしの苦心ぶりにほとほと感心しておったのだ。いろいろと調べてみたところ、文武に長じた有能な人材であることも判明いたした。まったく、おぬしのような人物を蔵番に封じこめておくなど、幕府も倒れるべくして倒れたとしか言いようがない」

「面目ねえ」と、勝安房守は苦笑しながら頭を下げた。

「要するに、別所君。中松さんはおめえさんを、ぜひとも新政府に迎えてえとおっしゃるのさ。果報なこった、有難く承りな」

彦四郎は青山の腕を振り払って息をついた。落ちつかねばならぬ。今こそおのれのなすべきことを、よくよく考えねばならぬ。

しばらく中松と睨み合った末に、彦四郎は思いのたけをきっぱりと口にした。

「お断わりいたしまする」

誰もが予想だにせぬ一言に、大広間はしんと静まり返った。御庭をめぐる雨音がそれぞれの耳に迫るほどの静寂であった。

ややあって、安房守が呟《つぶや》くように言った。

「そんじゃあ、どうして榎本の船に乗らねえんだね」

その答えは、はっきりと言うことができる。

「釜次郎《かまじろう》、いや榎本和泉守様は幼きころより見知った仲でござる。遠回しに脱走の誘いもございました。しかし、軍艦とともに脱走するは、海軍副総裁たる和泉守様の義にございまする。拙者は——」

そこまで言いかけて、彦四郎はその先につながる言葉に驚いた。考えてもいなかった真理が、ふいに腹の底から掘り出されたのである。いや、これはおのれの考えではなく、権現様のお答えであろう。

「拙者は、三河安祥以来の徳川家家人《けにん》、御歴代将軍家の御公辺をお護《まも》りする徒士《かち》役にございまする」

「何を言ってやがる。だったら上様のお伴をして水戸に落ちるのが筋じゃねえか。そのたいそうな御徒士とやらの、いってえ誰が上様をお護りしてるってんだ。どいつもこいつも、上様のご心中なぞお察ししようともせず、やれ水戸ッぽの腰抜けのと蔭口《かげぐち》を叩《たた》くばかりで何もしやしねえじゃねえか。おめえさんだってその一味だろう」

「黙れ！」と、彦四郎は安房守の饒舌《じょうぜつ》を一喝した。

「幕府なき今、拙者は上下なき幕臣としてそこもとに物申す。けっして無礼者とは申されるな」

安房守が気色《けしき》ばんだのは一瞬であった。「よし」とひとつ肯《うなず》いて威儀を正したその表情を見て、この侍は忠義者だと彦四郎は思った。

「こいつァ驚いた。どうやら中松さんの目は確からしい。言いてえことは何でも言え」

「さらば遠慮なく申し上げる。わが別所家代々のお役目は、平時においては将軍家の御身をお護りし、戦時においては御影鎧《おかげよろい》を纏《まと》うて影武者となることでござる。脱走者があちこちに屯集《とんしゅう》して気勢を挙ぐる昨今は平時にあらず、よって拙者のなすべき務めは御影鎧のかたわらに添い奉《たてまつ》り、すわ合戦のそのときは上様の御身になりかわって死することでござる」

「わからねえ。だったらやっぱし、その御影鎧を着て水戸に落ちなけりゃなるめえ。それにしたところで、上様はまかりまちがったって戦なんぞなさらねえぞ」

「拙者の申す将軍家とは、大樹公おひとりではござらぬ」

「何だと――」

安房守と中松は、彦四郎の言うことがわからぬというふうに目を見かわした。ここまで言うてもわからぬのなら、わかるように言ってやる。

「そもそも武家の世の原理は、個の志を以て主家に仕えるものではござらぬ。家を以て家に仕えるものでござる。別所彦四郎が徳川慶喜公にお仕えしておるのではなく、別所家が徳川家にお仕えいたしており申す。ゆえに別所家の当主たる拙者は、東照大権現様以来御歴代の御みたまにぬかずき、その御遺業御遺徳にお仕えし奉りまする。おわかりか、勝様、中松様、青山様。武士の忠節とはさなるものにて、その心掛けがおのおののうなったがゆえに、徳川の天下はかよう衰弱いたし申した。拙者は大樹公おひとりの影武者にはあらず、十五代御歴々の徒士役にござる。徳川の天下二百六十年の影武者にござる。個の志を以て新時代を開くも、また徳川の世に殉ずるもそれぞれ身の処し方は勝手でござるが、拙者はそのいずれをも潔《いさぎよ》しとはせず、ただ父祖代々別所家のお役目たる、御影鎧番の務めを全《まっと》ういたしまする。ゆえに榎本和泉守様のお誘いを固辞いたしましたと同様、みなさまのご高配もお断りいたし申す。拙者、卑賤《ひせん》なる平徒士の分限ではござるが、この無紋の御役羽織に誓うて、武士道とはさようなるものと心得まする。ごめん」

一気呵成《かせい》にまくし立てると、彦四郎は二度と頭を下げずに大広間を出た。はたしてわかったのやらわからぬのやら、引き止める声もなかった。

御廊下を踏み鳴らして歩み、西ノ丸御殿から退出すると、黒雲の蟠《わだかま》る江戸の空には遠雷が轟《とどろ》いていた。

彦四郎は崩れゆく天を仰いだ。

まことの礎《いしずえ》たれかし。踏み越えて進む者の力となる、巌《いわお》たれかし。

二十五

閏《うるう》四月に入ると、御家人たちの脱走はいよいよ盛んになった。

待命も数ヶ月に及べば、いかに呑気《のんき》者でも先行きが不安になる。むろん無為徒食《ふ》の日々のうちに、米櫃《こめびつ》の米も尽きる。官軍の横暴に対する町人の怨嗟《えんさ》の声は、同時に不甲斐《がい》ない御家人たちを責めていた。ましてやふしぎなくらい雨もよいの日々が続き、誰もが気鬱《きうつ》になった。

そうしたさまざまの条件が重なり合うた末に、えいままよとばかりに脱走するのである。要するにその行為は諸藩でいうところの脱藩だが、旧幕府は藩ではないから脱走と呼ぶほかはなかった。

しかし、この脱走がすばらしい人気を博するのだから始末におえぬ。当の本人には武士の意地だの主家の面目だのというたいそうな気構えがあるわけではなく、付和雷同か思考停止か、せいぜい「居ても立ってもおられぬ」という程度の脱走なのだが、あとさきかまわずおっとり刀で駆け出すさまは、花道にたたらを踏んで飛び出す役者を髣髴《ほうふつ》させ、江戸市民の喝采《かっさい》を浴びることとなった。

妙な流行もあったものである。どこそこの誰それが脱走したと聞けば、役宅にはあちこちから祝儀《しゅうぎ》が届けられ、まだひとりの脱走も出ぬ組は蔭口を叩かれた。

深川の御徒士十五番組が平穏であるのは、組頭の片山伊左衛門の見識の高さゆえであった。片山は数日に一度は配下の組士を集めて、同じ説諭をくり返していた。

曰《いわ》く、

「誰が何と言おうと、上様のご台慮に順《したが》うのが御家人の務めである。上野のお山にはすでに二千人の脱走が屯《たむ》ろして盛んに気勢を上げておるが、ご台慮に逆ろうてでも意地の面目のと申す殊勝な侍なぞひとりもおらぬ。見ておるがいい、いずれ官軍がわれらの行く末を斉《ととの》えれば、みなおめおめと山を下りてくるにちがいない。多少なりとも気骨のある侍ならば、脱走なぞする前に腹を切るか、官兵と刺し違えて死んでおるわい。よいな、ゆめゆめさような輩《やから》と行いを伴にするではないぞ。脱走を美徳のごとくはやし立てる世間の声に、耳を貸してはならぬ」

そう諭すそばから、屋敷には石礫《いしつぶて》が投げつけられ、裏の小名木川を行く舟人の「ばっかやろー」という大声も聴こえる。

さすがは老練の御徒士組頭であると、彦四郎は片山伊左衛門の炯眼《けいがん》に感心した。すべてとは言わぬまでも、脱走の多くは空気に惑わされているのである。いずれ説諭されて山を下りるなど、江戸幕府の晩節を穢《けが》す姿の最たるものにちがいなかった。

そんなある日のこと、別所家に思いがけぬ事態が惹起《じゃつき》した。

降りしきる雨音を縫って母屋《おもや》から早朝時ならぬ怒鳴り声が聴こえ、すわ何事かと駆けつけてみれば、惣領《そうりょう》の与之助《よのすけ》が剣術の胴に鉢巻というもののものしい姿で、病床からよろぼい出た兄に叱《しか》りつけられていた。

「おお、彦四郎。いいところに来てくれた。与之助が脱走すると申して聞かぬのじゃ」

兄はそう言うたなり、柱に背を預けてへなへなとへたれてしまった。

「わしに似て腑抜《ふぬ》け者の与之助に、さような気構えなどあるはずはない。問い詰めてみれば案の定、こやつを使嗾《しそう》した者がおった」

兄は言葉尽きて、慄《ふる》える指先を間口に向けた。彦四郎は裸足《はだし》で玄関の式台を飛び下り、兄嫁の叫び声の響く門へと走った。

あろうことか、兄嫁に肩を摑《つか》まれて叱責されているのは、わが子の市太郎であった。

「お聞き下されませ、彦様。どこでどのような申し合わせをしたのかは存じませぬが、従兄弟《いとこ》どうしで上野のお山に馳《は》せ参じようとしたのです。まこと信じ難い。一体全体、世の中はどうなっておるのでしょう」

叱る気にもなれなかった。なにゆえ年端《としは》もゆかぬ子らが、申し合わせて脱走を図らんとしたか、その事情が彦四郎にはわかってしまったのだった。

彦四郎は目の高さに屈《かが》みこんで、俯《うつむ》くわが子の顔を掌《てのひら》で拭《ぬぐ》った。

「おまえが脱走すれば、井上の家門が再興されると思うたか」

こくりと肯いたなり、市太郎は青ざめた唇を嚙《か》みしめた。

「よいか、市太郎。おまえが上野のお山で討死しようが、腹を切って果てようが、士道の面目を施したことにはならぬ。なぜなら、まこと悲しいことではあるが、われらの主家はもうこの世にないのだ」

いつの間に起き出してきたのであろうか、老いた母が手を差し延べて、市太郎を抱き寄せた。

「すんでのところで、可愛《かわい》い二人の孫を犬死にさせるところじゃった。これもご先祖様のご加護があったればこそ。いや、片山様のおっしゃる通り、上野の脱走どもには犬死にをする覚悟もござりますまい。もしおめおめと山を下ることがあれば、幼い子らの生涯の傷となって祟《たた》るところであった」

彦四郎は然《しか》りと肯いた。母の言うことは正しい。幼くして男子の矜《ほこ》りを喪《うしな》えば、市太郎にも与之助にもまともな未来はあるまい。

「それにしても彦様。どうにも合点がいきませぬ。なにゆえ幼い子らが申し合わせて脱走などと」

兄嫁が疑わしげに言った。その答えはすでに承知しているのだが、まさか口にはできぬ。彦四郎は市太郎の身を母に托《たく》して、雨に煙る路地に歩み出た。誰を責むるつもりもない。もし非があるとすれば、いまだ死場所を探しあぐねているおのれである。

組屋敷の入口の冠木門《かぶき》に背を預けて、おつやが待っていた。

「ごめんね、おじちゃん。上からやいのやいの言われて、きょうじゅうに何とかしなけりゃならなかったの」

「相済まぬ」と、彦四郎は雨の滴《した》る髷《まげ》を垂れた。

「どうしておじちゃんがあやまるのよ。あたいは、いっちゃんと与之ちゃんを、おじちゃんのかわりに殺そうとしたのに」

邪神までもが身を粉にして働いているというのに、われら人間は二百六十年もの太平を貪《むさぼ》ったのだと彦四郎は思った。

新しき世は、けっしてそのように怠惰なものであってはならなかった。江戸の空を被《おお》う、この倦《う》んじ果てた無聊《ぶりょう》の空気を打ち払うことができる人間は、物言わぬ天に選ばれた自分だけだった。

「おつや」

生きとし生くる人間のすべてになり代わって、彦四郎は死神を抱きしめた。

「わしとともにいてくれ。もうどこにも行くな。わしの、この胸の中に入ってくれ」

「おじちゃん、やさしいね」

「やさしい人間ならいくらでもいる。しかし、やさしくて強い人間はいない。わしに、力をくれ」

彦四郎の胸元に、甘えるように額を寄せると、死神は煙のように消えた。

そのとたん、見もせぬ戦場の光景がありありと彦四郎の瞼《まぶた》にうかんだ。

父祖の見た大坂夏の陣の記憶が甦《よみがえ》ったのだ。いや、それは彦四郎の血の中に眠っていたはずはない。かつて父祖にとり憑《つ》いた、この死神の記憶だ。

天に選ばれし英雄は、大黒頭巾《だいこくずきん》歯朶具足《しだぐそく》の鎧兜《よろいかぶと》をまとい、猩々緋《しょうじょうひ》の陣羽織を着て太刀を振りかざし、迫りくる敵に向かって大音声《だいおんじょう》を張り上げた。

「家康これにあり。厭離穢土《おんりえど》の心は日々にすすみ、欣求浄土《ごんぐじょうど》の念時々にまさりければ、ゆめゆめ遁《のが》れ申さず、これにて一代の末期《まつご》といたす。みごとわが首を掻《か》いて豊太閤《ほうたいこう》殿下の墓前に供えよ」

褌《ふんどし》を胸まで引き上げて、紐《ひも》を首に回す。これで鍾《ふぐり》はしっかりと股座《またぐら》に定まる。

小袴《こばかま》をはき、臑当《すねあて》をつける。いくども試してはいるが、鋼《はがね》の具足はすこぶる重い。

歯朶の前立ものものしい大黒頭巾兜を冠《かぶ》り面頬《めんぼお》をつけると、黒ずくめの御大将ができ上がった。

人々は御蔵の板敷にかしこまって、影武者の戦ぞなえをしげしげと見上げた。

「おめえさん、正気かよ」

勝安房守は瞬きも忘れている。

「たしかにそのなりで上野のお山に乗っこめば、脱走どもは引っこみがつくめえ。しかし、無駄な死人を出すのァ、俺の本意じゃあねえんだがな」

「黙らっしゃい」と、彦四郎は面頬の奥からくぐもった声で言った。

「血を流さずに新しき世をこしらえようなどと、虫の良すぎる話だわい。ちと乱暴な気もするが、脱走どもには百や二百がとこ死んでいただく」

「乱暴者め」と、中松与平が獅子頭《ししがしら》の冠りものをわさわさと振って罵《ののし》った。

「おお、何とでも申されよ。拙者は意地だの面目だのという、瑣末《さまつ》なことを言うておるのではない。百や二百の命でおぬしらの世がいくらかでも強うなれば、それでいいのだ」

「わからんのう」と、彦四郎の気勢にすっかり怖気《おじけ》づいた青山主膳が、独りごつように呟《つぶや》いた。

「千石か万石か知らぬが、おぬしのごとき腐れ旗本なぞにはわかるまい。わからぬのならわかるように言うて聞かせてやろう。よいか、時代に応ずるさまざまの改革をなされた有徳院《はちだい》様が、なにゆえこの御影鎧ばかり従前のままになされたか。つまり、この日のためじゃ」

「よけいわからん」

青山はあんぐりと口を開けた。

「よほどの馬鹿にはよほどうまく言わねばならぬらしい。よいか、青山様」

「ああ、主膳でようござる。何だかおまえ様が本物の上様に思えてきた」

「しからば青山主膳。しごく簡単に言うなら、戦は勝ち負けではない。勝ちっぷりと負けっぷりじゃ。それがおたがい悪ければ、戦には何の値打もない。むろん武士も武士道も、何の値打もないことになる。予は武士の棟梁《とうりよう》として、立派な負けっぷりをせねばならぬのじゃ」

ははあっ、と三人は板敷に這《は》いつくばった。蔵の外から気の抜けた声とともに、蹄《ひづめ》の音が近付いてきた。

「あー、彦さん。じゃなかった、上様。御馬をお引き申した」

大扉《おおど》から顔をつき入れたのは、賢そうな白馬と、それよりだいぶ賢くなさそうな村田小文吾の鯔《ぼら》のごとき顔である。馬には金覆輪《きんぷくりん》の鞍《くら》が置かれ、小文吾は村田家伝来の具足を身にまとっていた。

「何だ、小文吾。そのなりは」

「あ。わしは馬鹿ゆえ新政府のお役になど立てぬ。連れてけ、なむなむ」

馬鹿はわかりやすかった。しかし馬鹿なりに機転が利《き》くことには、御大将のありかを示す金扇《きんせん》の御馬標《おうまじるし》を、具足の肩にどかりと担《かつ》いでいた。馬鹿力でもあった。

「おお、どこでそれを」

「あー、これは新門の辰五郎親分が、大坂から背負って参ったものじゃ。せっかく取り返してきたものを西ノ丸のそこいらにうっちゃってあったゆえ担いで参ったが、まずいかの」

彦四郎はじめ、人々は大いに感心して「全然まずくはない」と同時に声を合わせた。

「あー、それから、大手の御門番がこんなものを預かっておったぞ。何でも深川の喜《き》仙堂《せんどう》とか申す者が、彦さんの後を追っかけてきて、ぜひにと托したらしい」

そう言って小文吾は、綾錦《あやにしき》の刀袋を彦四郎に手渡した。

「やや、すっかり忘れておった。家伝の御紋康継《ごもんやすつぐ》が研ぎ上がったのだ。どうやら贋物《がんぶつ》らしいのだが、この来国光《らいくにみつ》の贋物よりは有難い。どれ、拝見」

刀袋を解いて彦四郎はぎょっとした。金梨子地《きんなしじ》の鞘《さや》に、黄金《こがね》の柄頭のついた立派な刀装である。

人々は息を呑《の》んだ。鞘を払うと、玉鋼《たまはがね》の冴《さ》えた輝きが目を射た。

「わわっ、来国光！」

「ちがう、権現様《ごんげん》の日光助真《すけざね》じゃ」

「いんや、鬼丸国綱《おにまるくにつな》だぜ」

徳川家伝来のそうした名刀などは誰も見たためしはないが、人々は噂《うわさ》に知る限りの言いたいことを言った。

まさかとは思う。かつて喜仙堂を訪れたとき、古備前の大業物《おおわざもの》と見まちがえた刀が彦四郎の胸に甦った。

ならぬ徒花《あだばな》ましろに見えて、憂《う》き中垣の夕顔や――これは自分と同じ齢《とし》ごろの若い刀鍛冶《かじ》が、腐れ果てた御紋康継のかわりに打ちおろしてくれたものであろう。

咲いたところで実を結ばぬ徒花はことさら美しい。たしかにその刀は、大樹公の来国光や権現様の一文字《いちもんじ》助真や、信長、秀吉の手を経て徳川将軍家の宝刀となった鬼丸国綱もかくやはと思える、みごとな鉄《かね》であった。

彦四郎は黄金造りの柄にうがたれた鋼の目釘《めくぎ》を抜いた。この鍛えが当世鍛冶の手になるものであるとは、どうしても思えぬ。

人々は板敷ににじり寄って彦四郎の手元を覗《のぞ》きこんだ。そして思いもかけぬ生《うぶ》の茎《なかご》が現れたとき、一斉に驚愕《きょうがく》の声を上げた。

錆《さび》ひとつない茎の差表《さしおもて》には、「盡心技之限《しんぎのかぎりをつくす》　應別所彦四郎需《べっしょひこしろうのもとめにおうじ》」

また差裏には、「月山雲龍子貞一鍛之《がっさんうんりゅうしさだかずこれをきたう》　慶應四年閏《うるう》四月吉祥日」

と、鮮やかな細鏨《ほそたがね》で銘が切られていた。

それは、見知らぬ若き鍛冶から手向《たむ》けられた、真白な一輪の徒花であった。

徳川の世は終わる。おそらく八百年の武士の世も。しかしその滅びの土手に咲く花は、おのれひとりではないのだと彦四郎は思った。

「拙者は――」

刀を鞘に収めながら、彦四郎は面被いの中で泣いた。

「拙者は、果報者でござる。権現様はじめ御歴代の御遺徳を一身に承り、大樹公の御身がわりとして上野のお山に参りまする。みなみなさま、なにとぞこの屍《かばね》を踏み越えて、太平の世をお開き下されよ。今このときより、拙者は七十俵五人扶持の御徒士にはあらず、第十五代将軍、徳川慶喜にござる。小文吾、馬引け」

彦四郎は大黒頭巾歯朶具足をみしりと軋《きし》ませて立ち上がり、目にも鮮やかな猩々緋の陣羽織を着た。黄金造りの陣太刀を佩《は》き、腹帯に三葉葵《あおい》の御家紋の入った軍配と、犛牛《ぼうぎゅう》の毛を赤く染めた采配を差す。

「ご台慮、たしかに承りました」

征夷大将軍の戦ぞなえを頼もしげに見上げてから、勝安房守は深々と頭を垂れた。そして大扉に向かって威儀を正すと、城内の隅々にまで届くかと思われるほどの大声で呼ばわった。

「御旗本御家人はみなお立ち会いめされよ。上様ご出陣あそばされる。将軍家おんみずからのご出馬でござるぞ！」

二十六

左兵衛は深い眠りから目覚めた。

極楽浄土の蓮池《はすいけ》のほとりを、お釈迦《しやか》様に手を引かれてめぐっているという有難い夢を見ていた。さしたる苦しみもなく、安らかに死ぬことができたと思うたのもつかのま、目覚めてみれば常に変わらぬ御徒士屋敷の奥居であった。

いや、常にあらざる空気が褥《しとね》をめぐっている。大勢の人々が息を呑んでおのれの様子を窺《うかが》っているということは、つまり臨終《いまわ》のきわであろう。

左兵衛はものすごく損をした気分になった。安らかに死んだと思うたものがまだ死んでおらず、これから死ぬというのだからたまらぬ。

医師《くすし》が手首の脈を取っている。母と妻の二つの顔が、不安げというよりいくぶん興味深げに、枕元《まくらもと》から左兵衛を覗きこんでいた。

「目玉が動いているように見えますが」

俎《まないた》の上の鯉《こい》でも覗くように、妻が言うた。

「いや、すでに何も見えますまい。脈もほとんど触れてはおりませぬ」

藪《やぶ》医者め。病を診立《みた》てることもできずにご臨終の宣言だけがおのれの務めか。

ごろりと瞳《ひとみ》をめぐらす。床前にかしこまっているのは、嫡男《ちゃくなん》の与之助である。くそ、おまえが脱走など企てなければ、父はまだいくらかは持ちこたえたものを。

居並ぶ次男と娘。これもさほど悲しげに見えぬのは気のせいか。

甥《おい》の市太郎もいる。肩を抱き寄せているのは、その母の八重どの。おお、いつ見てもお美しい。ま、それはともかく——とうに縁の切れたこの二人がおるということは、臨終の経緯も明らかである。すなわち与之助の脱走におののいて気を喪《うしの》うてから、さほど時は経《た》っていないのであろう。雨音も聞こえる。障子のほの暗さからすると夕刻であろうか。市太郎の脱走を知った八重どのが居場所を探しあてたか、あるいは誰かが報《しら》せたかして、二人はたまたま臨終に立ち会うはめになってしもうた。

ああ、御組頭様。何から何までお世話になり申した。父が死に祖父が逝き、衰運いかんともしがたいわが別所家を支えて下さったご恩は一生忘れませぬ。とは申せ、正直のところ今の今思いついたのじゃが。

親しき御徒士の面々も居並んでおる。こうして見ると、黒縮緬《ちりめん》無紋の御徒士羽織とは便利なものじゃな。上様のご警護も同輩の臨終も、これ一枚でこと足りる。

はてそれにしても、なにゆえ座敷の隅に商人《あきんど》と相撲取りがおるのだ。どこかで見た顔だが、誰であったか。

思い出した。夢の中の、極楽浄土の蓮池のほとりで、お釈迦様にこっぴどく叱られていた二人じゃ。

医者がふいに素頓狂《すつとんきよう》な声を上げた。

「おっ、おおっ、脈が戻りましたぞ。持ち直しましたぞ」

藪医者め。これから死ぬる人間をつかまえてそれはなかろう。いや、待てよ。言われてみれば気分がよい。熱もさめておるようだし、目も回らぬ。

――そのとき門前に足音が乱れたと思うと、死の静寂を破る大声が響いた。

「おのおのがた、お立ち会いめされよ。一大事にござる」

「何ごとか」と、片山伊左衛門が障子を引き開けた。

「上様ご出馬にござりまする。将軍家におかせられましては、これより上野のお山にお入りあそばされ、彰義隊に采配をふるわれまする」

死んでいる場合ではなかった。蒲団《ふとん》をがばとはね上げて身を起こすと、左兵衛は庭先に佇《たたず》む同輩に向かって言った。

「こうしてはおられぬ。上様ご出陣とあらば、われら徒士組も出番ぞ」

一同は驚きながらも、まあまあと左兵衛を宥《なだ》めた。

「落ちつけ。何かのまちがいであろう。上様はすでに水戸にてご謹慎あそばされておるはずじゃ」

組頭の声を、濡《ぬ》れ鼠《ねずみ》の徒士が遮《さえぎ》った。

「ご謹慎も何も、今そこにお成りでござる」

「ばかを申せ。なにゆえ上様が深川の御徒士屋敷などに」

「ともかくお迎え下されませ。なにゆえかはわかり申さぬが、ともかく上様はお伴ただ一騎を従えて、冠木《かぶき》門の外にお成りあそばされておりまする」

人々は一斉に悲鳴を上げた。こんな騒ぎは横綱陣幕に土がついた番狂わせ以来だと左兵衛は思った。

座蒲団のかわりに枕を投げて左兵衛は立ち上がった。何だかわけはわからぬが、大変な番狂わせが起こったのだ。たしか陣幕が敗れたあとの追い込み席には、二つ三つの死体が転がっていた。この際、人の生き死になどはどうでもよかった。

「一同、お出迎えじゃ！」

組頭の行司のごとき一声で、人々はどっと庭に飛び出た。遅れてはならじと、左兵衛も寝乱れた夜着の尻《しり》をからげて駆け出した。男も女も、医者も子供も、商人も力士もみな走った。

左兵衛はたしかに見たのだ。われらが御大将は紅色の馬飾りをまとった白馬に打ち跨《また》がり、黒ずくめの吉祥の鎧兜《よろいかぶと》の上に緋赤の陣羽織を召して、冠木門の外に佇《たたず》んでおられた。

ただ一騎の伴侍の背には、三葉葵の旗徽《はたじるし》が翻《ひるがえ》っていた。駆け出た人々がたちまちひれ伏す路地の先から、わっしょいわっしょいとかけ声を上げながら、まるで御輿《みこし》の渡御《ぎょ》のごとく金扇の御馬標が運ばれてきた。

上様のお声は黒鉄《くろがね》の面頬のうちにくぐもってはいたが、雨空を押し上げるほど猛々《たけだけ》しかった。

「慶喜これにあり。厭離穢土《おんりえど》の心は日々にすすみ、欣求浄土《ごんぐじょうど》の念時々にまさりければ、ゆめゆめ遁《のが》れ申さず、これにて一代の末期《まつご》といたす。しからば御徒士の出陣は許さず。

予に従《したご》うは上野の山に籠る二千のつわものにて十分、おのれらは身を慎みて新しき世を生きよ。かたく下知する」

「お伴を」と、左兵衛は馬前に這い寄った。

「ならぬ。組頭はあるか。予の下知に逆ろうこの者を諫《いさ》めよ」

伊左衛門が走り出て、左兵衛の背を抱き止めた。

「上様のお下知じゃ。畏《おそ》れ多くもすでにご覚悟あそばされた上様に、われら影武者のお伴は許されぬ。おのおのがた、御意に添い奉って控えよ。上様のお下知じゃ」

病み衰えた背をおし砕くかのように、伊左衛門は左兵衛を抱きすくめて、耳元に声を絞った。

「左兵衛。わからぬか、彦四郎じゃ。汝《うぬ》が弟は天下一の侍ぞ。われら御徒士の矜《ほこ》りぞ。彦四郎は、意地も忠義もなく、われらが世の輝きのために死するのじゃ。別所彦四郎は、あっぱれ三河武士の誉れぞ。やつは苦心に苦心を重ねて、ついにおのれが分を全《まっと》うする。御徒士の務めを、影武者の本懐をなし遂げるのじゃ」

彦四郎、と呼ぶ声を、左兵衛はかろうじて呑み下した。

母も妻も声を上げて泣いてはいたが、けっして嘆いてはいなかった。人々はみな、嘆かずに泣いていた。

馬上の上様は鎧兜の錣《しころ》をぎしりと軋ませて、なすすべもなく立ちすくむ市太郎に目を留めた。そして、静かな声で諭した。

「限りある命が虚《むな》しいのではない。限りある命ゆえに輝かしいのだ。武士道はそれに尽きる。生きよ」

市太郎は唇を引き結んで肯き、八重は「かたじけのうござりまする。なにとぞご存分のお働きを」と、頭を下げた。

いささかも思いを残すふうもなく、上様は降りしきる夕まぐれの雨の中に、しずしずと消えて行った。


高橋の袂《たもと》まできて、彦四郎は駒《こま》をとどめた。

「小文吾。つかぬことを訊《たず》ねるが、銭を持っておるか」

「あ。いくばくかは」

具足の懐《ふところ》から引き出された巾着《きんちゃく》はずしりと重い。これで忘れかけていた約束は果たせると、彦四郎は得心した。

「持っておっても仕様のないものであろう。よこせ」

「あー、たしかに。実はさきほど安房守様が、何かの足しにと下さった軍費でござる。

有難や、なむなむ」

彦四郎は巾着を受け取ると、中味は改めずに手触りを確かめた。束《づく》にまとめられた小判である。

辻柳《つじやなぎ》の下に、蕎麦《そば》屋の親爺《おやじ》があんぐりと口を開けて立っていた。彦四郎は駒を進めると、面頬をはずして微笑《ほほえ》みかけた。

「どうだ、親爺」

「てえしたもんだ。やっぱし俺の目は節穴じゃあなかった」

「なになに、要は三巡稲荷《みめぐりいなり》が出世稲荷であっただけだ。のう、親爺。これほどの出世はござるまい」

「出世も出世。世の中をそっくり背負っちまうほどの出世だぜ、彦さん」

「かように出世したからには、親爺との約束を果たさねばならぬ。ほれ、出世払いの蕎麦代だ」

彦四郎は親爺の胸元に、どさりと巾着を投げた。

「まったく、おめえ様は何て律義《りちぎ》なお人だ」

「律義者ではのうて、江戸ッ子だ」

振り返れば、伊勢屋と九頭龍《くずりゅう》が申しわけなさげに佇《たたず》んでいた。まるでお釈迦様に叱《しか》られたような、情けない顔である。

「ひい、ふう、と。ひとり足んねえようだがどこへ行ったんだえ」

「死神なら、ほれ、ここじゃ」

彦四郎が具足の胸に手を当てると、親爺は、ははあと感心した。

「とうとうどこへも振らずじめえかよ」

「そのようなもったいないことはするものか」

雨にしおれた二柱の憑神は気の毒だが、ひとこと言うておかねばなるまいと彦四郎は思った。

「わかっていただけたか。人間は虫けらではないのだ」

緋色の手綱を返すと、別所彦四郎は馬の尻に鞭《むち》を当てた。

「行くぞ、小文吾。これで明治の御世は安泰じゃ！」

「あー、なむなむ。彦さん、おまえ様は何と恰好《かっこう》よい。南無《なむ》八幡大菩薩《はちまんだいぼさつ》、南無東照大権現、願わくはわれらの武運に加護たれたまわん。厭離穢土、欣求浄土、なむなむっ！」

高橋を二騎の蹄《ひづめ》が蹴《け》る。

彦四郎は雨に煙る彼方《かなた》のお山に、にんまりと微笑む権現様のお顔を見たように思った。

まぼろしでも空耳でもあるまい。ついに人間が神に勝ったこの戦ぶりを、権現様は「でかした」と褒めて下さった。

解説

磯田道史

『憑神』は御徒士《おかち》の物語である。徒士《かち》というのは、武士の身分格式のひとつで、主君の戦陣に、その名の通り、徒立《かちだ》ち、つまり、徒歩で従う武士のことである。武士の家は「弓馬の家」といわれるように、本来、馬に乗って弓を引き、戦場《いくさば》を馳《は》せるのを名誉とした。しかし、実際のところ、騎馬の武士は、それほど多くはいなかった。都市の武家屋敷のなかで、軍馬を養うには途方もない費用がかかる。兵農分離がすすんだ江戸時代には、およそ高二百石以上の立派な武士でなければ、馬を飼うことはできなかった。騎馬武者が合戦の花であったのは、平安・鎌倉のころの話で、戦国の世になると、総軍のなかで馬に乗れる武士は一割もいないのが実情であった。江戸幕府でも、ふつう直参旗本は「騎馬の士」が多かったが、俸禄《ほうろく》が百石・百俵以下の御家人たちは、ふつう馬に乗れるものではなかった。将軍を護衛するために、がっちりと組に編成されて徒歩で参戦する。御家人のなかでも、とくに「御徒士組」と名づけられた一団があって、全部で二十組あった。

本作品の主人公・別所彦四郎は、この幕府の御徒士である。浅田氏は、作品を書くにあたり、柴田宵曲《しょうきょく》『幕末の武家』を参考にした、と、『小説新潮』二〇〇五年十月号の対談で筆者に語られたことがある。この柴田の『幕末の武家』には「御徒士物語」という幕末期に実際に御徒士であったと思われる旧幕臣の懐旧談の聞書が載せられている。浅田氏はこれを丁寧に読み込んで、幕末の徒士の世界を生き生きと描いている。そうであるから、この作品の随所に、徒士の屋敷の間取りや、俸禄の量、あるいは徒士の御家人株の値段が五百両であるなどと出てくるが、これらは作者の考えた荒唐無稽《むけい》なものではなく、きちんとした根拠があるものである。

「御徒士物語」は、筆者名が「鈍我羅漢《どんがらかん》」となっている。もちろん本名ではなく、江戸っ子武士らしい洒落《しゃれ》っ気のある筆名であるが、この人が、江戸・深川元町にあった徒士の組屋敷の様子を詳しく語り残している。浅田氏が、主人公の屋敷を深川元町に設定したのは、そのためである。徒士は、元来、徒歩で主君に従う武士をさしたが、一言でいえば「近衛《このえ》歩兵」である。近衛歩兵といっても、下級武士だから、この物語の設定である幕末のころには、困窮しきっていて、御徒士といえば貧乏と相場はきまっていた。このような徒士は幕府だけでなく、諸藩にもいて、やはり主君を護衛する近衛歩兵となっていたが、とくに幕府の御徒士の制度はよく出来ていた。

徳川将軍家は、家康以来の家風として、非常に用心深いところがある。戦に勝ったときのことばかりでなく、将軍がぼろぼろに負けて逃げるときの用意まで、よく考えていた。鈍我羅漢によれば、徳川家では、御徒士たちに、一枚の黒羽織を支給していたという。黒縮緬《ちりめん》の高級なもので、将軍と同じ黒羽織である。将軍は、外出のおりなどに、襲撃をうけると、この御徒士と同じ、黒羽織を羽織って、たくさんいる御徒士の人ごみのなかに飛び込んで、どれが将軍であるか、わからないようにして逃げるためであった。それだけではない。御徒士は戦場でも、将軍の影武者のような役目を負っていたというのである。

——戦争でも始まった暁には、一様の鎧《よろい》陣羽織を着ける筈《はず》になっておった。この二品もやはり将軍用のと外形は異なるところはない。尤《もっと》も平日は本人へ渡してはないが、その準備はしてあって、一年に一度ぐらいずつ内覧を許された。この陣羽織の如《ごと》きは猩々緋《しょうじょうひ》の地で、背に韋革《なめしがわ》を截《き》り抜いて拵《こしら》えた軍配団扇《ぐんばいうちわ》の形を縫い付けて、それに金箔《きんぱく》がおいてある。ずいぶん立派なもので、これらを着けて、まず将軍の影武者になるのである。（「御徒士物語」）

もちろん、すべて、そのままに信じることはできないが、徳川家が「影鎧」といって、将軍と同形の鎧武者を大勢こしらえ、影武者に仕立てようと計画していたふしはある。一説に、家康の影鎧といわれるものが、尾張徳川家などには今日まで伝わっているらしい。

また、徳川家の公式伝記である『徳川実紀』にも、家康が二代将軍・秀忠を叱《しか》ったった面白い会話が記録されている。家康は、息子の秀忠が熱心に剣術の稽古をするのをみて、「敵を防ぐのは家来の仕事である。将軍はまず逃げることを心がけられよ」といったのだという。そのうえ、家康は、子どもや孫たちに常日頃から「馬に乗ることと、水泳だけは、身につけておきなさい」と、うるさく言ったとも記されている。なぜかといえば、「負け戦になったとき、この乗馬と水泳だけは、大将だろうと、天下の主だろうと、誰もかわってくれないからだ」という。まことに家康らしい言い方である。結局、徳川家では、「一緒に逃げる」徒士たちに水泳の練習をさせ、それを将軍が直々に上覧するという奇妙なしきたりまでできた。このような用心深さが、徳川家を、天下の主に押し上げた一つの力であった。

「徳川将軍の影武者を貧乏にあえぐ徒士がつとめる」

この事実を知ったとき、小説家として、浅田氏の頭のなかで、ある着想が生まれ、そのイメージは爆発的に膨らんだらしい。そして、本作品が生まれた。江戸・深川元町に住む御徒士・別所彦四郎という架空の人物をこしらえ、この男を鳥羽伏見《とばふしみ》の戦いのあとに、江戸城に逃げ帰ってきた徳川慶喜《よしのぶ》と対面させ、上野の山に立て籠《こ》もる彰義隊のもとに、神君家康の影鎧をきてむかわせた。

作品の背景にある哲学は、やはり、人は何を目的に生きているのか、何が人間の幸せなのか、という問題であろう。当初、主人公の彦四郎は、おのれの財布の中味と、立身出世のことばかり気にしていた。というのも、主人公は、武家の次男坊に生まれた。幸い、良い家の婿《むこ》養子に入れたと思ったら、種馬のように種付けだけに利用され、離縁された。理不尽にも、妻子と引き離されて、実家にもどれば銭がなく、屋台の蕎《そ》麦《ば》を食べるにも、代金を気にする有様になった。なんとか、運がまわってきて、妻子を取り戻したい、と願うのは、人情からして当然であった。しかし、そこにあらわれたのは、こともあろうか貧乏神であり、そのうち、死神まで彦四郎のまわりにやってきて、取り憑《つ》こうとする。

江戸時代、商家はことさらに縁起をかついだが、武家はそれほどでもなかった。しかし、徒士などの下級武士は、神頼みをせずにはいられなかった。貧乏だったからである。彦四郎のような幕府の徒士は七十俵五人扶持《ぶち》の俸禄である。これが、いまの感覚で、どれぐらいの金額かといえば、一両を三十万円で計算すると、年収一千万円ほどになる。

なかなかの収入ではないかと思われるのであるが、幕末期になると、たいてい武士は借金がある。その借金も大借金で、年収の二倍ほどの借金をしている。しかも、その利子は年利二十パーセントをこえるようなものであった。武士は借金をすぐ踏み倒すから、このぐらいの利子を取らねば、金貸しはそろばんに合わなかった。近代政府と違い幕府・諸藩は、金貸しなど市民の財産権を守るのには冷淡で、武士たちが借金を踏み倒しても本気で取り締ろうとせず、しばしば大目にみていた。だから、武士が借金しようとすると利子がべらぼうに高くついた。それで、いまの感覚で年収が一千万円あるような武士でも、たいてい二千万円の借金があり、しかも金利が高いから、年間の利払いだけで四百万円分をもっていかれるような生活になっていた。だから生活が楽なはずはない。武士は稼いでも、稼いでも、借金取りに、金をもっていかれて、貧乏から抜け出せなかったのである。俗に「稼ぐに追いつく貧乏なし」というが、近代の随筆家・内田百閒《ひゃっけん》がうまくいったように「稼ぐに追いつく貧乏神」といったほうがよかった。

幕府の御家人のなかに「貧乏神に取り憑かれたらこわい」という俗信が根付いてい

ったのは、そのせいであった。貧乏神の祠《ほこら》というのは、もちろん、浅田氏の創作であるが、実際に、御家人が貧乏神を祀《まつ》った神社は実在する。小石川の牛天神にある祠などは、その一例で、あまりに貧乏に困った御家人がもう破れかぶれで、貧乏神の祠をつくり「今年も貧乏でしたが、貧乏神様のおかげで息災で暮らせました」と祈ったら、なぜか貧乏から抜け出せたという。それから、近隣の御家人など、貧乏人が油揚げなどをもってきて、「どうか取り憑かないでもらいたい」と願うようになったという。

私も、憑神の解説などして、貧乏神に取り憑かれてはかなわない。この貧乏神の祠におまいりしてみたが、さすがに霊験あらたかで、参拝しようとすると、不思議なことに、背広のズボンの尻《しり》が破れた。それも一番よいズボンがやられたから、かなり、しょげた。

しかし、この作品は、このように思わぬ損をこうむるとか、逆に、望外の立身出世をするとか、意外の金が転がり込むとか、そういうつまらぬことを、運不運のモノサシとして暮らすことの愚かさを我々に語っているように思われる。

「そういう小さな損得に、一喜一憂し、神頼みなどしているかぎり、人は本当に幸せな心の境地に達することなどできない」。作品の最後のほうで、主人公・彦四郎はこの真理に気づき、先祖伝来の影鎧をつけ、将軍の影武者として、颯爽《さっそう》と、馬にまたがる。そのまま、上野の山の彰義隊のところにいけば、あるいは、命がないかもしれないが、そこには、小さな損得にこだわる卑屈な男の姿はない。意を決した人間の心晴れやかな姿がある。

その主人公の毅然《きぜん》とした意志を前にして、取り憑いたはずの貧乏神や死神までも、気の毒なほどに、しおれてしまい、自分だけの小さな損得の発想を乗り越えた人間には、貧乏神も死神も、なすすべがないことが、最後に、明らかになるのである。

現代を生きる我々も、江戸時代の御徒士がそうであったように、かぎられた命の、か弱い生活者である。だから、日々、暮らしていくためには、つらいこともあるし、損得にもこだわる。しかし、あるとき、ふと気づいて、もっと、ひろい気持ちで物事を考えてみると、案外、悩みであったものは、それほどの悩みではなく、その人の心の持ちかた次第で、幸福にも不幸にもなるのではないか。この小説はそういうことを我々に語りかけているのではないか。貧乏神におまいりして、やぶれてしまったズボンの尻をなでながら、私はそんなことを考えた。


（平成十九年三月、茨城大学助教授・日本近世史）

この作品は平成十七年九月新潮社より刊行された。

浅田次郎著

薔薇盗人

父子の絆は、庭の美しい薔薇。船長の父へ息子の手紙が伝えた不思議な出来事とは……。人間の哀歓を巧みに描く、愛と涙の6短編。

浅田次郎著

五郎治殿御始末

廃刀令、廃藩置県、仇討ち禁止——。江戸から明治へ、己の始末をつけ、時代の垣根を乗り越えて生きてゆく侍たち。感涙の全6編。

浅田次郎著

夕映え天使

ふいにあらわれそして姿を消した天使のような女、時効直前の殺人犯を旅先で発見した定年目前の警官、人生の哀歓を描いた六短篇。

浅田次郎著

赤猫異聞

三人共に戻れば無罪、一人でも逃げれば全員死罪の条件で、火の手の迫る牢屋敷から解き放ちとなった訳ありの重罪人。傑作時代長編。

浅田次郎著

ブラック オア ホワイト

スイス、パラオ、ジャイプール、北京、京都。バブルの夜に、エリート商社マンが虚実の狭間で見た悪夢と美しい夢。渾身の長編小説。

山本周五郎著

大《おお》炊《い》介《すけ》始末

自分の出生の秘密を知った大炊介が、狂態を装って父に憎まれようとする姿を描く「大炊介始末」のほか、「よじょう」等、全10編を収録。

山本周五郎著

ひとごろし

藩一番の臆病者といわれた若侍が、奇想天外な方法で果した上意討ち！　他に〝無償の奉仕〟を描く「裏の木戸はあいている」等9編。

山本周五郎著

樅ノ木は残った

毎日出版文化賞受賞（上・中・下）

「伊達騒動」で極悪人の烙印を押されてきた原田甲斐に対する従来の解釈を退け、その人間味にあふれた新しい肖像を刻み上げた快作。

藤沢周平著

用心棒日月抄

故あって人を斬り脱藩、刺客に追われながらの用心棒稼業。が、巷間を騒がす赤穂浪人の動きが又八郎の請負う仕事にも深い影を……。

藤沢周平著

竹光始末

糊口をしのぐために刀を売り、竹光を腰に仕官の条件である上意討へと向う豪気な男。表題作の他、武士の宿命を描いた傑作小説5編。

藤沢周平著

時雨のあと

兄の立ち直りを心の支えに苦界に身を沈める妹みゆき。表題作の他、江戸の市井に咲く小哀話を、繊麗に人情味豊かに描く傑作短編集。

藤沢周平著

冤（えんざい）罪

勘定方相良彦兵衛は、藩金横領の罪で詰め腹を切らされ、その日から娘の明乃も失踪した……。表題作はじめ、士道小説9編を収録。

藤沢周平著
橋ものがたり

様々な人間が日毎行き交う江戸の橋を舞台に演じられる、出会いと別れ。男女の喜怒哀楽の表情を瑞々しい筆致に描く傑作時代小説。

藤沢周平著
神隠し

失踪した内儀が、三日後不意に戻った、一層凄艶さを増して……。女の魔性を描いた表題作をはじめ江戸庶民の哀歓を映す珠玉短編集。

宮部みゆき著
本所深川ふしぎ草紙
吉川英治文学新人賞受賞

深川七不思議を題材に、下町の人情の機微とささやかな日々の哀歓をミステリー仕立てで描く七編。宮部みゆきワールド時代小説篇。

宮部みゆき著
かまいたち

夜な夜な出没して江戸を恐怖に陥れる辻斬り〝かまいたち〟の正体に迫る町娘。サスペンス満点の表題作はじめ四編収録の時代短編集。

宮部みゆき著
幻色江戸ごよみ

江戸の市井を生きる人びとの哀歓と、巷の怪異を四季の移り変わりと共にたどる。〝時代小説作家〟宮部みゆきが新境地を開いた12編。

宮部みゆき著
初ものがたり

鰹、白魚、柿、桜……。江戸の四季を彩る「初もの」がらみの謎また謎。さあ事件だ、われらが茂七親分——。連作時代ミステリー。

宮部みゆき著
ほのぼのお徒歩《かち》日記

江戸を、日本を、国民作家が歩き、食べ、語り尽くす。著者初のエッセイ集『平成お徒歩日記』に書き下ろし一編を加えた新装完全版。

宮部みゆき著
堪忍箱

蓋を開けると災いが降りかかるという箱に、心ざわめかせ、呑み込まれていく人々——。人生の苦さ、切なさが沁みる時代小説八篇。

畠中恵著
しゃばけ
日本ファンタジーノベル大賞優秀賞受賞

大店の若だんな一太郎は、めっぽう体が弱い。なのに猟奇事件に巻き込まれ、仲間の妖怪と解決に乗り出すことに。大江戸人情捕物帖。

畠中恵著
ぬしさまへ

毒饅頭に泣く布団。おまけに手代の仁吉に恋人だって？ 病弱若だんな一太郎の周りは妖怪がいっぱい。ついでに難事件もめいっぱい。

葉室麟著
橘花抄

己の信じる道に殉ずる男、光を失いながらも一途に生きる女。お家騒動に翻弄されながら守り抜いたものは。清新清冽な本格時代小説。

西村賢太著
疒《やまいだれ》の歌

北町貫多19歳。横浜に居を移し、造園業の仕事に就く。そこに同い年の女の子が事務のアルバイトでやってきた。著者初めての長編。

杉浦日向子著
一日江戸人
遊び友だちに持つなら江戸人がサイコー。試しに「一日江戸人」になってみようというヒナコ流江戸指南。著者自筆イラストも満載。

杉浦日向子監修
お江戸でござる
お茶の間に江戸を運んだNHKの人気番組・名物コーナーの文庫化。幽霊と生き、娯楽を愛す、かかあ天下の世界都市・お江戸が満載。

杉浦日向子著
江戸アルキ帖
日曜の昼下がり、のんびり江戸の町を歩いてみませんか——カラー・イラスト一二七点とエッセイで案内する決定版江戸ガイドブック。

森下典子著
日日是好日
―「お茶」が教えてくれた15のしあわせ―
五感で季節を味わう喜び、いま自分が生きている満足感、人生の時間の奥深さ……。「お茶」に出会って知った、発見と感動の体験記。

山口瞳著
礼儀作法入門
礼儀作法の第一は、「まず、健康であること」。作家・山口瞳が、世の社会人初心者に遺した「気持ちよく人とつきあうため」の副読本。

山口瞳
開高健 著
やってみなはれ みとくんなはれ
創業者の口癖は「やってみなはれ」。ベンチャー精神溢れるサントリーの歴史を、同社宣伝部出身の作家コンビが綴った「幻の社史」。

新潮文庫最新刊

帚木蓬生著
花散る里の病棟

町医者こそが医師という職業の集大成なのだ――。医家四代、百年にわたる開業医の戦いと誇りを、抒情豊かに描く大河小説の傑作。

藤ノ木優著
あしたの名医2
―天才医師の帰還―

腹腔鏡界の革命児・海崎栄介が着任。彼を加えたチームが迎えるのは危機的な状況に陥った妊婦――。傑作医学エンターテインメント。

貫井徳郎著
邯鄲の島遥かなり（中）

男子普通選挙が行われ、島に富をもたらす一橋産業が興隆を誇るなか、平和な島にも戦争が影を落としはじめていた。波乱の第二巻。

一條次郎著
チェレンコフの眠り

飼い主のマフィアのボスを喪ったヒョウアザラシのヒョーは、荒廃した世界を漂流する。愛おしいほど不条理で、悲哀に満ちた物語。

矢樹純著
血腐れ

妹の唇に触れる亡き夫。縁切り神社の血なまぐさい儀式。苦悩する母に近づいてきた女。戦慄と衝撃のホラー・ミステリー短編集。

J・グリシャム
白石朗訳
告発者（上・下）

内部告発者の正体をマフィアに知られる前に、調査官レイシーは真相にたどり着けるか!?全米を夢中にさせた緊迫の司法サスペンス。

新潮文庫最新刊

野口卓著
からくり写楽
―蔦屋重三郎、最後の賭け―
〈謎の絵師・写楽〉は、なぜ突然現れ不意に消えたのか。そのすべてを知る蔦屋重三郎の奇想天外な大仕掛けを描く歴史ミステリー。

真梨幸子著
極限団地
―一九六一　東京ハウス―
築六十年の団地で昭和の生活を体験する二組の家族。痛快なリアリティショー収録のはずが、失踪者が出て……。震撼の長編ミステリ。

幸田文著
雀の手帖
多忙な執筆の日々を送っていた幸田文が、何気ない暮らしに丁寧に心を寄せて綴った名随筆。世代を超えて愛読されるロングセラー。

安部公房著
死に急ぐ鯨たち・もぐら日記
果たして安部公房は何を考えていたのか。エッセイ、インタビュー、日記などを通して明らかとなる世界的作家、思想の根幹。

燃え殻著
これはただの夏
僕の日常は、嘘とままならないことで埋めつくされている。『ボクたちはみんな大人になれなかった』の燃え殻、待望の小説第2弾。

ガルシア=マルケス
鼓直訳
百年の孤独
蜃気楼の村マコンドを開墾して生きる孤独な一族、その百年の物語。四十六言語に翻訳され、二十世紀文学を塗り替えた著者の最高傑作。

憑《つき》神《がみ》

新潮文庫　あ－47－3

平成十九年五月一日発行
令和六年十一月十五日二十一刷

著者　浅《あさ》田《だ》次《じ》郎《ろう》

発行者　佐藤隆信

発行所　株式会社新潮社

郵便番号　一六二―八七一一
東京都新宿区矢来町七一
電話編集部(〇三)三二六六―五四四〇
読者係(〇三)三二六六―五一一一
https://www.shinchosha.co.jp

価格はカバーに表示してあります。

乱丁・落丁本は、ご面倒ですが小社読者係宛ご送付ください。送料小社負担にてお取替えいたします。

印刷・大日本印刷株式会社　製本・加藤製本株式会社

ISBN978-4-10-101924-6 C0193